無目的

Aimlessness

行き当たりばったりの思想

トム・ルッツ
田畑暁生訳

青土社

無目的

目次

〔　〕で囲んだ箇所は訳者による注である。

無目的　行き当たりばったりの思想

私の支援者たちへ

無目的性とは　序

「目的をもたないこと」（無目的性）（aimlessness）という言葉は、「愛がないこと」（lovelessness）や「家がないこと」（homelessness）という言葉と同じように、その中に否定を含んでおり、欠如や剥奪を示している。しかしそこには余韻がある。「愛」や「家」はポジティブな言葉なので、それが欠けていることは否定的に捉えられる。しかし「目的」という言葉は、より複雑と言える。「目的がないということ」は、確かに喪失や、方向の欠如をも意味するが、それだけでなく、「開かれている」「急いでいない」「無頓着」「非暴力」といったことも含意する。無目的であるとは、誰も眼中に入っておらず、標的もなく、無邪気で嘘がないことである。戦略や、生産性、効率といったことには関心がないか、あるいはそれらに抵抗さえする。奔放といった意味にもなる。私たちの中には奔放になりたい人もいる。漂流といった意味にもなる。私たちの中には漂流したい人もいる。芸術や、生活や、文章や、思想や、存在において、無目的性は常に、それが意味する欠如よりも、豊かである。

無目的性と文学1　エッセイ

迷い犬と野良猫。

少なくともモンテーニュ以来、エッセイは無目的性を抱えた文芸である。つまり、無目的性をその本質として最もよく捉え、通常それを言祝いでいる。目的がないことを欠陥とせず、むしろ豊かさと捉えているのである。エッセイを支配するのは無目的性であり、それが話を進ませる。もちろん時には物語や評論と同じように、直線的な進み方をする場合もあるが、最良のエッセイはむしろ、脱線に脱線を重ね、別の方向に逸れたり戻ったりする。ランケやヘーゲルよりもヴィーコの歴史記述のアプローチに近いものだ。サラ・レヴィンは、「エッセイは毛皮のコートのようであり、鎖につながれたプロテウスのようであり、音節が満ちた精神のようである。テネシーの巻貝を食べるパーチ（淡水魚の一種）よりも、ドイツのゴキブリと共通点がある」と書いている。この記述にあるように、エッセイは奇妙さや無作為や多重性を包み込む文芸であって、無目的性を体現している。実際のところ、エッセイはそれを方法にまで高めている。無目的性とは、エッセイストの方法《メソッド》なのである。

レヴィンが言うように、「エッセイは旅や散歩のようであり、心のゆるやかな前進である」。心で考えたり、心がさまよったりするという体で、エッセイという形式は生き延びている。つまり、機能しているのは心であり、いかなる表現とも同じように、どこか型にはまっていながら、不完全であり、いくらか複雑である。不完全なシミュラークルあるいは詐欺で、多くの場合オリジナルの貧弱なコピーである。偉大なエッセイを読むとき読者が感じるのは、著者の思考を見ているという感覚だろうが、これはあらゆるエッセイストの道具箱にも入っている最も基本的な道具である。私たちエッセイストに必要なのは、書いたばかりのことへわずかながら懐疑を表明し、今語ったことが真実かどうかを言挙げして（といっても、ページの上でのことなので声は出さないが）問い、自分が行っていることについて知らないと、長い句や節、カッコなどのついた文章で示唆することである。今しがた言ったことについてコメントし、修正し、果てはひっくり返しさえする。これらは洗練されたプレゼンテーションよりも、思考のプロセスや意識の流れを演出するものだ。

しかし待てよ、私はなぜあなたにこんなことを言っているのだろう？

＊＊＊

これがどれほど簡単なことかお分かりいただけるだろうか？　私は、あたかもあなた（読者）と会話しているかのように、「新しい考え」をリアルタイムで持っているかのように装う。ひそかに二人目の人物の中に滑りこむ。例えば第一パラグラフに続く部分を書くときに、ページに現れるずっと前に既にその問題について問うたことがあると自覚しており、誰であれ読者を誑かすためにこうした戦略をとっているとしても、問題はない。私がこうしたエッセイストの商売上のたくらみを論じ、いかにトリックが行われているか説明するときは、アシスタントが消える箱のニセの裏側を手品師がお客に見せているようなものである。トマス・エジソンの逸話を思い出す（ここでも、あたかも今思い出したかのように読者に見せるという、同じ戦略が使われている）。エジソンが試行錯誤の末、フィラメントに最適な物質を見つけたという「毛むくじゃらの犬のお話」（英語で、長々と続くわけのわからない話のことを指す）である。エジソンが数分間にわたって電球を点灯するのに失敗しているのを見たエジソンの犬は、哀れんで「タングステン」と言ったという。エジソンは口をあんぐりだったが、犬は、犬もしゃべることができるのだが人間にはばれないようにするという取り決めがあると説明した。人間の方が賢いと装うことで、人間が犬の食事を買い、家を建て、獣医への支払いをするように仕向けているというのだ。「もしエジソンに話したことがバレると、仲間の犬に殺される」と犬は語った。他の犬が聞いていたら殺すというのだ。私も、ライターの集まりでは背後に気を付けることにしよう。

あなたも時間の螺旋に気付いているだろう。私が書いている時点から、あなたが読んでいる時点、私が「毛むくじゃらの犬」についての話を読んでいる時点、その物語が生じた時点、そして「現在」の時点、さらに未来へ…

＊＊＊

それで迷い犬と野良猫はどうなのか？　彼らが移動する理由は？　何がやつらを動かしているのか？　空腹？　恐れ？　やつらは同じ場所を何度も訪れるのか？　それともさまよい歩くのか？　やつらは無目的の生き物なのか、それとも心があり、決められたラウンドについての完璧な功利主義者のように、自分たちがしている行動、その理由、感情を正確に知っているのか？　私たちはやつらについて二度触れた。今後も触れることになるだろうか？

無目的性と文学２　詩

一七世紀の日本の俳人である芭蕉は、漂泊の思いを抱き、その句は漂泊する者を愛してきた。芭蕉は自らの旅について、実利その他の目的を決して持たなかった。彼はしばしば、大都市である江戸から、田舎へ、山野へ、僻地へと出かけていった。『奥の細道』の冒頭で芭蕉は、「風に吹かれる雲に誘われて、漂泊の人生を送ってきた」（「いづれの年よりか、片雲の風に誘はれて、漂泊の思ひやまず」）と述べている。北へ、そして西へと向かったこの旅で芭蕉は「前途三千里に思いはふさがり、世界はただの夢のようだ」（「前途三千里の思ひ胸にふさがりて、幻のちまたに離別の泪をそゝぐ」）と書いている。これは言葉の綾ではあるが、十分な理由になっていると人は思うだろう。

芭蕉は風変りな「渡り鳥」であり、時に詩人・文人としての自分に酔っているが、先人たちには遠く及ばないとして自らを戒めることもある。自分の見たことは誰でも書けると、彼は認める。「今日雨が降った。昼には晴れた。松の木があった。川が流れていた」と言い、自分の書いているのはこのようなものだと自嘲する。そして実際、彼の書いたものの多くはこういう文章だ。「白い雲が峰にかかり、霧雨が谷を満たす」。これまでに書かれた傑出した作品に及ばないのなら「真に書き残す価値はない」と芭蕉は言う。

芭蕉が知られているのは、句と散文とを組み合わせる「俳文」という形式を発明したためである。そこでは、自然の描写に、感情を重ね合わせる。「非常に多くの場所の風景が心にかかっている」と芭蕉は書く。「山小屋や、沼地の庵の疼くような痛みが、言葉の種となり、風や雲と親しむ術となる。かくして私は、忘れ得ない場所の覚え書きをつなぎ合わせ、それらを酔いのうわごと、眠りの漫歩と考え、無謀にも耳を傾ける」。

芭蕉が無謀にも心を動かしたおかげで、私たちも無謀に耳を傾けることができる。漫歩する無謀の中にもまた方法がある。

＊＊＊

カリフォルニアおよび全米の「桂冠詩人」となったジュアン・フェリペ・ヘレラは、どうやって多数の本を書いたのか（現在二六冊）と尋ねられて、自分ではたった一つのルールしか設けていないと答えた。それは「これでいい」ということだ。彼は、ページの上や耳の奥で何が起ころうと、それに「検閲」をかけず、表に出すのだ。これも一種の「無目的性」と言える。統制したり方向付けしたりせずに、矢をあらゆる方向に飛ばすのである。

三頭の象がいた

「赤みを帯びた、そして青色光のキャバレー・ドレスと、不確かなイルカたちの化身
（私は、あたかも私がプロセスを中断して、オルガン奏者が高まらなかったように感じていた。
マーケット街を離れたカストロ・シアターを覚えているかい？
ヴィスコンティの映画『若者のすべて』だ。そして灯りは消えたろう。
一九九二年のロドニー・キング事件の暴動の時だ。
イルカは何かをつぶやいており、
生意気な目をしばたかせ、私はいつものように中ほどの第三列にいた）
そこに猛烈に引き裂かれる馬がおり、
巨大かつ、戦争学長らによる忌まわしいメダルをつけ、われわれに
差し向けられており、誰かが彼女を家に送るのをずっと待ち続けていた

これは「仏教映画における土曜の夜」の冒頭であるが、矢を満たしつつ、全体を捉えている。これが詩の始まりなのだ。詩は無目的性を好む。もちろん、詩にもソネットやテルマ・イーツァ（三韻句法）のような厳格な形式はあり、管理的な側面はあるけれど、詩が最も愛しているのは無目的性である。詩は迷い犬や野良猫を愛する。漂流を愛するのだ。

詩において「漂流」は、欠点でもなければ、活力不足でもない。その逆である。ウォルト・ホイットマンは、百科全書的《エンサイクロペディア》な漂流で有名である。彼は、一つの職業だけを例示することができず、すべてを扱おうとしているように見える。

「家を建て、寸法を測り、板を挽《ひ》き、
鉄を鍛え、ガラスを吹き、釘を作り、樽をこしらえ、ブリキで屋根をふき、屋根板で覆い、
船を組み立て、船渠《ドック》を築き、魚を燻製にし、舗装人夫が歩道に敷石を敷き、
ポンプ、杭打ち機、大型の起重機、炭を焼く窯、レンガを焼く窯、
炭坑と坑内にあるものいっさい、闇の中のランプ、反響、歌声、汚れた顔のなかから覗く瞑想、
おおらかで質朴な思考、
製鉄所、山のなかや川のほとりの溶鉱炉の火、まわりで大きな鉄梃《かなてこ》を操りながら溶けた鉱石を
探っている男たち、鉱石の塊、鉱石と石灰石と石灰の適切な結合、
高炉とパッドル炉、ようやく溶けた鉄の底に溜まった銑鉄、圧延機、ずんぐりした鋳鉄の棒、
線路に使う頑丈でスマートなT字型レール、
製油工場、紡績工場、白鉛精錬工場、製糖所、蒸気のこぎり、大きな製造所と工場、

石を切る作業、建物の正面《ファサード》や窓や入口の楣《まぐさ》に使う形のきれいな装飾品、小槌《こづち》、鋭利な刃をした鑿《のみ》、親指を保護する指覆い、
かしめ鏨《たがね》、煮えたぎる膠《にかわ》の釜、釜の下の火、
綿の梱、沖仲仕の手鉤、木挽の鋸と木挽台、鋳型工の鋳型、屠殺人の屠殺用ナイフ、氷を挽く鋸、氷にかかわるすべての作業、
艤装係、引っかけ鉤で船を引く人、帆を作る人、滑車を作る人、彼らそれぞれの作業と道具、
グッタペルカ、混凝紙《コンクリ》、絵具、刷毛、これらの品々、そして刷毛づくりの作業、上薬職人の道具、
化粧煉瓦と膠鍋、菓子職人の使う飾りもの、デカンターとグラス、大ばさみと火のし、
靴屋の突き錐、革の膝当て、パイント升とクォート升、カウンターと腰掛け、鵞《が》ペンあるいは金属ペン、あらゆる種類の刃物の製造、
醸造所、醸造作業、麦芽《モルト》、大桶、そしてビールやワインや食用酢の作り手たちが果たすあらゆる作業、
皮をなめし、馬車を作り、ボイラーを作り、縄をない、蒸留酒を作り、看板を描き、石灰を焼き、綿を摘み、電気めっきをし、電気版を作り、鉛版にとり、
桶板を作る機械、平たく削る機械、刈り取り機、耕作機、脱穀機、蒸気で動く貨車、

御者のいる二輪馬車、乗合馬車、どっしりした大型荷馬車、
色つき花火を夜空に放つ打ち上げの技、意匠を凝らした模様と噴射、
肉屋の陳列台に置かれた牛肉、肉屋の屠殺場、屠殺着を着た肉屋、
生ける豚肉を囲う檻《おり》、息の根をとめるためのハンマー、しとめた豚を吊す鉤、消毒用の熱湯の
桶、腸《はらわた》を抜く作業、肉を切り裂く大包丁、包装係の大木槌、豚肉放送のどっさりある冬仕事、
製粉工場、コムギ、ライムギ、トウモロコシ、コメの製粉工程、ずらりと並ぶ樽、二分の一樽、
四分の一樽、樽を摘んだ艀《はしけ》、波止場や土手に山積みの樽、
連絡船《フェリー》、鉄道、沿岸交易船、漁船、運河、さまざまな場所で働く男たちと、その男たちの働き、
君自身のであれ、誰のであろうと、時間にしばられた単調な暮らし、作業場、材料置場、商店、
工場」（酒本雅之訳、岩波文庫『草の葉』（中）pp.116-119.）

ホイットマンは詩人の中で最も百科全書的《エンサイクロペディア》だから、例として出すのはアンフェアかもしれない。しかし、彼の眼があちこちをさまよい、即興のカタログを作っていくという効果で、おそらく空前の偉大な詩になっている。百科全書的なものが、無目的性の形を取り、同時に力の源泉ともなっている。

全く異なる一覧であるが、ホイットマンの詩から影響を受けている別の例を挙げよう。クラウ

ディア・ランキンの『市民　アメリカの詞』も、「カタログにカタログを重ねる」ものとなっている。複数の身体はカタログ化され得るが、単数の身体もまた、カタログする存在であるとランキンは語る。身体は経験を記憶し、それがカタログとなる。「過去を遠ざけることはできない。過去はあなたに埋め込まれている。過去はあなたの肉体をその戸棚に変える。あらゆることを思い出せないということは有用だが、すべてはあなたの中に蓄積された世界に由来する。いつ誰が誰に何をしたのか？　それを言ったのは誰か？　彼女は何を言ったのか？　彼はたった今何をしたのか？　彼女が本当にそう言ったのか？　彼が何を言ったのか？　彼女が何をしたのか？　私は、聞いたと思うものを本当に聞いたのか？　それは私の口から発せられたのか、それとも彼のか、あなたのか？あなたは自分が溜め息をついた時を覚えているか？

そしてランキンは、説得力のある形で、実際のおよび仮想のカタログを利用する。

ジョーダン・ラッセル・デイヴィスを偲んで
エリック・ガーナーを偲んで
ジョン・クロフォードを偲んで
マイケル・ブラウンを偲んで
ラカン・マクドナルドを偲んで

アカイ・ガーリーを偲んで
タミル・ライスを偲んで
ウオルター・スコットを偲んで
フレディー・グレイを偲んで
シャロンダ・コールマン＝シングルトンを偲んで
シンシア・ハードを偲んで
スージー・ジャクソンを偲んで
エセル・リー・ランスを偲んで
デペイン・ミドルトン・ドクターを偲んで
クレメンタ・ピンクニーを偲んで
ティワンザ・サンダースを偲んで
ダニエル・L・シモンズ・シスターを偲んで
マイラ・トンプソンを偲んで
ジャマー・クラークを偲んで
…を偲んで
…を偲んで

…を偲んで
…を偲んで
…を偲んで

これは、苦難としての、告発としての、連鎖としての、議論としてのカタログである。続いてしまった悲劇が対象となっており、単なる客観的な相関ではない。

構造的、かつ形式的に、ランキンは「これと、これと、これ」という形で列挙する。散文のようでもあり、セクションのようでもあり、韻文のようでもある。行の長さも様々、あらゆる形や大きさからなる節、いろいろなスタイルや言葉遣いの蓄積。それぞれ違ったやり方で、アメリカの市民権の中を漂流することは、あまりにも多様な形の攻撃を経験することであるので、それを表現するには多様な構造や多数のカタログ、幅広い議論、豊富な告発、多様な逸話、無数の文芸戦略、いろいろな話法を使って初めて可能となる。その結果、コラージュと似てくることもある。議論としての並置である。

無目的性とコラージュ 1　制御不能

一九八九年、ロドニー・ブルックスとアニタ・フリンは「英国学際学会誌」に、他の惑星の表面探査について再考を促す論文を寄せた。アポロ計画で使われた月面車や、火星探査車「オポーチュニティ」のような、高価なのに遅く、通ったところだけしか調べられず、重要な部品やシステムが壊れれば使い物にならないものとは違って、私たちが作るべきなのは、二ポンド（約九〇〇g）ほどの小さくて軽い、アリのような車を大量に用意すべきだ、という趣旨である。

小さなロボット千台で、現行の探査車と同じくらいの重さとなるだろう。数百台はミッションを完了する前に壊れる可能性がある。彼らは、人類に必要なのは、現在の自動車やトラックや戦車に似た、人間が乗るような車ではなく、（彼らの言葉によれば）「速くて、安くて、制御不能」なロボットであると主張する。すなわち、地上で人が制御するようなものではなく、自律的で、プログラムに従って動き回り、環境から学習するようなものであるべき、というのだ。自らの意思で動く自由を持ち、見つけたいものを見つけるのである。「地球の探検は、未知のものに向けての多数の小さな、自発的な部隊によって進められてきた。南太平洋を探検する人々や、バイキング、ベーリング海峡を渡った人々、コロンブス、芭蕉など」と、ブルックスとフリンが結論で指摘しているように。そして他の惑星を探索するのに、そういうものをモデルに（あるいはモデルにならなくても）使わない手はないだろう。

エロール・モリスは、ブルックスとフリンの使った「速くて、安くて、制御不能」という表現を、彼自身の素晴らしい映画のタイトルにしている。モリスの他の作品と同じようにこの映画も、彼自身の論理を追ったコラージュである。モリスは、『The Thin Blue Line』（薄くて青い線）という映画で名声を得たが、彼自身は「線形性」に対するこだわりはなく、まっすぐ標的に向かうことをむしろ否定している。映画の中でモリスがインタビューしているブルックスのように、モリスが求めているのは「手当たり次第」「制御されていない調査」である。モリスは『速くて、安くて、制御不能』を、究極の低コンセプト映画と呼ぶ。一行で要約されることを徹底的に拒んでおり、私は初めて見た時、心を奪われると同時に、茫然自失ともなった。なぜ自分は、一九五〇年代の質の低いロボット映画や、『ジャングルに踊る怪物』（一九三六年）からの引用を見ているのか？　第二の問題の答えは、デイヴ・フーヴァーを紹介すればすぐに得られる。フーヴァーは、『ジャングルに踊る怪物』に登場するスターであるクライド・ビーティーに心酔したライオン調教師で、同じように野生動物の調教をしている。しかし、スチールおよびフィルム・クリップが流れた後に、今度はトピアリー〔樹木を刈り込んで作る造形物。西洋の庭園でしばしば見られる〕庭師のジョージ・メンドンサに話題は飛んだ。彼は生涯を、たった一人の顧客のため垣根や木の形を仕上げることに心血を注いだ。なぜか？　そしてさらに、スチールや動画のコラージュの後、今度はレイ・メンデスの話題になる。彼は子供の頃、アリやシロアリ、その他の昆虫の社会に魅せられ、「昆虫クラブ」に入り、長じて研究者となり、ハダカデバネズミの専門家となった。これは奇妙な生物で、共同スペースやトイレ、寝室を備えた構築物を地下に作り、空調その他のシステムまで備えている。モリスは様々なメディア（スチール写真、三五ミリ映画、一六ミリ映画、スーパー8、カラー、白黒、ビデオ、漫画、撮影ストック、何十本もの古い映画からのクリップ）をつなげており、この「継ぎ接ぎ性」のため、視聴する私たちは「これは一体どういう種類の映画なのだろう？」「どうやってこれをまとめたら良いのだろう」と考えさせられる。

こだわりを持つ四人の登場人物（モリスも、ヴェルナー・ヘルツォークと同じように偏執的である）のつながりも見えてくる。デバネズミとライオンは共に、アフリカ原産である。メンドンサも、キリンや象といった、アフリカ産の動物の姿をシュラブで作っている。デバネズミの築く、アリのような「社会」は、ブルックスがMITで作っているアリ型ロボットといくらか関係しているだろう。四人の登場人物を数分ごとに取り上げるというこの映画の螺旋型の構造は、エッセイ風であり、無目的性を思わせる。この無目的性は方法にあると言える。無目的性の感覚が、視聴者にその影響を与えるには不可欠であり、私たちを混乱させたり、十分に描かれていない関係を探させたりするのだ。最終的に私たちは、メンドンサとフーヴァーが絶滅しつつある技芸を実践し、メンデスとブルックスが人類の絶滅を予見しているのを見る。これはもちろん私たちに衝撃を与える。彼らの作品は私たちの額を叩くのだ。四人はみな、人間の動物との関係の中へと入って行く。

この「マッシュアップ」（特に音楽において、二つ以上の曲を組み合わせて新しい曲を作り出すことだが、近年ではITサービスの統合を意味する場合もある）を作り上げる過程において、モリスは「新しい意味と『反意味』（スーザン・ソンタグのコラージュ論）」を作っている。一見したところ「無目的な並置」がなければ、こうしたことは不可能である。映画の各部分を「証拠」として組み立てたのでは、このような解釈上の余剰は生まれないのだ。

このコラージュという手法は、「ラディカルな並置」（またしてもスーザン・ソンタグの言葉である）に基づいた形態であり、全体的でなく部分的であるから、そして、直線や円弧や議論でなく「星座」であるから、機能する面があるのだ。「星座」はものではない。実際には何光年も離れた存在たちを、見る者がつなげて形にしている。

＊＊＊

私の論は伝統的なコラージュ論とは違っている。歴史家や批評家の多くはコラージュについて、全体と部分との緊張関係や、芸術作品を作るための「カット・アンド・ペースト」を語る。コラージュという言葉はフランス語の「コラー」（糊）に由来するが、二〇世紀初めにブラックやピカソが、絵画に新聞紙を貼り付けることで生まれた。シュルレアリストたちはより多様な技法を試み、その後様々に発展してきた。理論家たちはコラージュをヴァルター・ベンヤミンの『複製技術時代の芸術』や「アーケード・プロジェクト」と結びつける。マルクス主義者は資本の下の疎外を反映した「断片化」を、コラージュに見出す。ユートピア主義者はコラージュの中に、消費者資本主義の全体化する力に対する抵抗を、言い換えると、文化的な断片の選択の中に買い物のパロディ的な表象を、見ようとするのだ。これらの考え方は、彼らの「矛盾を孕んだ栄光」の中で、コラージュは方法だと私に教える。コラージュは常に、私たちがその創造のプロセスに注意を払うことを要求する。キャンバスにブラシで糊が塗られるさまや、そこに貼り付けられる紙を想像するのだ。部分が別のものから切り取られている（誘拐の身代金要求メモのように）という事実は、例えば普通の油絵の場合よりも、作品の素材に関して私たちに考えさせるのである。これらの顔料はどこから来たのか？　廃物や切り抜きや既製品から作られているのが見え見えのコラージュは、こうした断片や、部分の作成について私たちに考えさせる。ぞんざいな選択や、偶然のようにも見える粗削りの、見た目が美しくない、ごたまぜのような外観の多くのコラージュは私たちに、芸術家の仕事について考えさせる。ジャン・アルプの「無題」（偶然の法則に従って配列された四角形のコラージュ）は、アルプがそれまで描いていた絵を切り取って、その断片を床に投げた結果である。それがこの作品の本質であり、できた作品は、別のプロジェクトを放棄し、方向付けをやめ、断片を落としてできたものなのである。トリスタン・ツァラは「ダダイストの詩を作る」の中で、新聞記事を単語ごとにバラバラにし、袋に入れて軽く振り、袋から取り出した順番につなげる、と提唱している。「できた詩はあなたに似ているだろう」とツァラは言う。ウィリアム・S・バロウズも後に、この手法を簡単に書いている。『第三の心』でバロウズは、「再創造の最初のステップは、あなたが書いた文章を、あなたが今座っている場所で切り刻むことだ」としている。

＊＊＊

建築家のユハニ・パルスラマは、「私たちの意識とはまさに、刻々と移り変わってゆく心の断片のコラージュである」と述べている。芸術家のロメール・ベアデンは、「あなたはどこかから始めなくてはならない、だから、何かを描き留め、それがいかに機能するかを見、そしておそらく別のことを試すだろう。そのように絵は育っていく」とした。作家のジョン・マクフィーは、「二つの断章を横に並べると、お互い同士が言葉に発しなくても批評を始めるだろう」と書いている。デザイナーのジャレット・フラーは「コラージュとは創造プロセスのシネクドキ（提喩）である。私たちのプロセスを可視化する」とした。詩人のケネス・ゴールドスミスは、「あなたが主人であるのは、あなたのコレクション、アーカイブについてだけ、それをいかに利用し、リミックスするかについてだけである」と書いている。芸術家のワンゲチ・ムトゥは「コラージュとは必要から生じた陶酔だった」としている。

無目的性とノマド１　ドゥルーズとガタリ

　あらゆる方法は、その洞察だけでなく、その盲目性や無目的性をも決定する。教養を拒絶すると生まれるのは、教養のない思想家である。私の場合、読書において無数の穴があり、ジル・ドゥルーズに捕らわれることができないでいた。ドゥルーズは、哲学、文芸理論、映画研究などにおいて、中心的な位置にいたにもかかわらず、である。読んで感心したり影響を受けたりしたが、その神秘に圧倒されることはなかった。巻き込まれることが不安だったのだろうか。そうかもしれない。「リゾーム的思考」や「ノマドロジー」は、私の考えと似通っており、私自身の文章と確かに類似していたのだ。私自身が多少ノマド的であるので、「ノマド思考」になるのには理由がある。ドゥルーズとフェリックス・ガタリが『千のプラトー』でノマドロジーを説明する際に問うているように「思想家が矢を射っている時にいつでも、「国家の男」が、あるいは「国家の男」に忠告したり彼を標的や『目的』に任命しようとするその影やイメージが、存在するのは偶然だろうか？」同書において、ノマド的なものとは、国家に対抗するものであり、国家は大げさに定義されていて、既存のあらゆる種類の権力構造を超越している。「目的を持つ」とは、この深く広い国家の道具となることであるので、「無目的」とは国家への抵抗なのだ。私たちはみな抵抗したいではないか？国家の道具にはなりたくないし、自由を求め、理論化された正しさを体現したい。国家に割り当てられる役割のような不完全なものにはなりたくない。どうしたら国家への追従を超えることができるのだろう？

＊＊＊

久方ぶりにドゥルーズとガタリの著作を繙くと、大きな失望を禁じ得なかった。大学院時代に『アンチ・オイディプス』を読んだが、その時は興奮したことを思い出す。マルクス主義、精神分析、人類学、社会学、歴史学、哲学、経済学、生物学といった、多数の学説が綯り合されていた。それは酩酊させるコラージュだった。ラカンなどの、当時のフランスの他の精神分析家と同じように、ドゥルーズとガタリは、読者を惑わせるという「美徳」を行った。彼らは、他の一部の理論家と同じように、頭でエッセイの性格を変え、著者の思考のパフォーマンスではなく。読者の頭の中を掻いて、考えさせ、躊躇させ、放浪させた。

理論に惹かれていた当時を、私は「わからないこと」を愛していた。

しかし、辞書や百科全書や用語集でドゥルーズ的な言葉を引きながら今読み返すと、彼らの著作には何百人もの手によって注がつけられ、彼らの概念が正典化されたり批判されていたりするために、誤解するスリルはもはやなくなり、彼らの間違いを照らし出すような「首尾一貫性」に取って代わられた。私の関心からすると特に、彼らの「ノマド」理解は乱暴であり、多少傲慢でもある。「ノマドに歴史がないことは確かだ。ノマドが持つのは地理学だけである」と彼らは書く。しかし、ノマドは歴史を持っているだけではなく、歴史についての歴史さえある。その古典の一つが北アフリカの哲学者イブン・ハルドゥーンの著作である。彼が一四世紀に著した『歴史序説』では、砂漠に住まうノマドと都市定住民との関係を論じている「定住民はあらゆる種類の娯楽により関わっている。彼らは贅沢や、仕事での成功や、世俗の欲望に耽けることに、より慣れている」。それに対してノマドは「ひとりで砂漠に向かう。ノマドを導くものは強さであり、自分自身に信頼を置いている。強さが彼らの性となった。そして、勇気が彼らの資質である」と、ハルドゥーンは書いている。遊牧民《ノマド》と定住民との関係の歴史を語る際にハルドゥーンは、ノマドが都市を征服して定住するようになると、次第に世俗化して軟弱になり、ついには新世代のノマドに征服されることになる、と書いている。

これを、ドゥルーズとガタリが語るような、「財産、私有地、あるいは測定手段を持たずに」生きているノマドと比較してみよう。ここでは、どちらが分散しているかといった分断はなく、あるのはむしろ、オープンスペース（区切りがないか、あるいは少なくとも正確な区切りがない）で分散して暮らしている人々の中における分断である。

こうしたロマンチシズムとエキゾチズムの混合は、実際のノマド的な生活や歴史（あるいはノマドの財産）の実態を理解するのにほとんど役立たない。ヨーロッパの植民地主義的な人類学の様々な文書を基にした、ドゥルーズとガタリによる「ノマド」は、自由を理想化したコミックのヒーローである。しかし、その核心部には、意図せず植民地主義が含まれている。

＊＊＊

こうしたことは私が最初に気付いたわけではない。ドゥルーズとガタリはこうした批判に対して、自分たちは表象（とりわけ植民地主義的・人類学的表象）には関心がないし、ノマドロジーは実際のノマドを基にしているわけではない、実際のノマド（「恐ろしく、好戦的で、動物を育てている」ノマド、これが現実の人々への言及だと思われるとしたら誰の失敗だろうか？）に対するいかなる言及も、「ノマド思考」といった概念として機能させるためには指示対象から自由でなくてはならない、と主張する。この修辞的な処置は、クリストファー・L・ミラーのいう「ノマドロジー的免責」を彼らに与えることになる。つまり、矛盾を（ヘーゲル的ではない）思考の動き、移植、分解、そして「作者が自分の言葉の所有を拒否すること」によって、あらゆる矛盾が解消されてしまうのだ（私はこれを好くべきですか?）。ミラーはノマドロジーの起源を追いかけ（例えばドゥルーズとガタリが脚注にしている人類学など、文字通りの起源）、以下のような対案にたどり着いた。それは、「私たちを苦境から救い出す必要があるとの考えは、ドゥルーズ・ガタリと比べてよりユートピア的ではなく、矛盾しておらず、傲慢でもなく、メシア的ではない運動の理論化である。地域性や差異により気を配った、積極的なコスモポリタニズムである。ドゥルーズとガタリが提案するものと比べて、より納得のいく倫理の流れとなっている」。

マイケル・マーダーはさらに進み、急速に住みにくくなっている地球において「最も不要なもの」は、資源を費消して動くノマドだとし、私たちに必要なのは「場所をケアし、責任を負うこと」だと主張する。これは現実のノマドたち（ドゥルーズとガタリが言うノマドではなく）が、たとえ不十分としても、実際に行っていることだ。

＊＊＊

芭蕉はノマドだろうか？「月日は百代の過客にして、行き交ふ年もまた旅人なり」と芭蕉は書いた。「船の上に生涯を浮かべ、馬の口とらへて老いを迎ふる者は、日々旅にして旅を栖《すみか》とす」。ドゥルーズとガタリにおいても、同様の時間的、空間的な「破綻」が見られる。「ノマドについていえば、彼らは動かない」。どこに行こうとも、あなたがそこにいるのだから、家だというわけである。ノマド主義とは、「場所の中の旅」だと彼らは言う。「それが強度の名前だ。たとえそれが外へ広がっていたとしても。考えることが旅することだ」。そうとも言えるし、違うとも言える。芭蕉にとっても、家にいることがそのまま旅だった。私たちが仮初《かりそめ》の世界に生きているということを決して忘れないから、とも言った芭蕉は「幻住庵」で思いを巡らせた。ここは元、武士であった菅沼氏の家である。「幻の住処でないものなどない」（「いづれか幻の住みかならずや」）と芭蕉は言う。「庵は幻の辻に立つ。悟りと惑いとがまさに、この幻という一つの言葉に解き明かされている。生のはかなさはひと時たりとも忘れることができない*」。芭蕉にとって、年を取ることが、このはかなさの最も明らかな徴候だった。「五〇歳に近い身は、蓑虫が蓑を失い、かたつむりが家を離れたように、無目的な風に沿って漂う」（「五〇年《いそぢ》やや近き身は、蓑虫の蓑を失ひ、蝸牛《かたつぶり》家を離れて」）。周囲は美しいが、楽しみはすぐに消え、貧しい境遇である。「片雲の風に誘はれて、漂泊の思ひやまず」。とはいえ、芭蕉は庵にいるときも、旅に出ているときと同じことをしている。句を作り、自然と同化する。死や忘却とも折り合いをつける。「私は常に、十分な用意もせずに千里の旅に立ち、満月の下で無に帰ったという古人の杖に頼っている」（「千里に旅立て、路粮《みちかて》をつゝまず、三更月下無何に入と「荘子」や「江湖風月集」にも云けむ。むかしの人の杖にすがりて」）。そして常に、芭蕉は家に戻る。ちょうど、モンゴルのノマドたちが、夏には牧草地にいて冬には家に帰るという往復を行うように、芭蕉のノマディズムも双方向的なものである。

＊＊＊

一九四八年、博学なインド人であるラーフル・サーンクリティヤーヤンが、『放浪学』*Ghumakkar Sastra*を出版した。この本のタイトルは、『放浪者マニュアル』『ノマド・ガイドブック』など、様々な訳され方をしている。サーンクリティヤーヤンは、ノマドを「歴史の対極」とするようなドゥルーズとガタリよりも放浪の歴史に関心を持っていると、スービル・ラナは書いている。サーンクリティヤーヤンは、儒教や聖書から、ブッダやイブン・ハルドゥーン、そしてチャールズ・ダーウィンやブルース・チャトウィンまで、放浪者の歴史を追っている。サーンクリティヤーヤンがダーウィンに言及していることは、科学をノマド的思考の敵だとしているドゥルーズ＝ガタリと、明らかに対立するだろう。サーンクリティヤーヤンにとってダーウィンは、何よりもまずノマドなのである。『千のプラトー』と違い『放浪学』は、哲学というより実用書である。ラナが書いているように、『放浪学』は文字通りの意味で、ノマディズムのためのマニュアルである。さすらう人生の重要性を主張し、ノマディズムやこうしたさまよう生活様式においてすべきこととすべきでないことのガイドラインを提示している。人間の歴史における根本的な事実としてのノマドロジーで

＊訳注：この箇所も前後同様に『幻住庵記』からだろうが、著者が文献に挙げている"Basho's Journey"は訳者David Landis Barnhillが相当に改変していて、ぴたりとあてはまる原文がない。「もの静かなるかたはらに、住み捨てし草の戸あり。蓬根笹（ねざさ）軒をかこみ、屋根もり壁おちて、狐狸ふしどを得たり。幻住庵といふ」のあたりだろう。

ある。サーンクリティヤーヤンによれば仏教は「世界の力」である。その理由は、ブッダおよびその弟子たちが、それを旅として捉えたから。

＊＊＊

もし芭蕉、サーンクリティヤーヤン、仏陀、ダーウィンをノマド主義のコラージュに入れていいのなら、ドゥルーズとガタリのノマドロジーも加えてよいだろう。拒否するためというだけではなく、批評の材料として。結局彼らは、ドロテア・オルコウスキも指摘するように、理論家ではなく、自明あるいは真理を語っているのではなく、むしろ仮説や問題を語っているのである。だから彼らが「間違っている」ことは問題ではない。彼らの考えが、実際の抵抗を生み出すかどうか、彼ら自身の基準でいえば、少なくとも、権力あるいは概念に関して、興味を惹くような問題を生み出せているかどうかが、重要なのである。

『アンチ・オイディプス』において彼らは、「自由の空間」は「無意識の分子的機能」、彼らの言い方では「統一性や完全性を欠いた、ひたすら分散しアナーキー的な多重性」の中にあると示唆される。これと比べればノマドロジーには特徴があり、具体物に近い。ノマドロジーは、政治的、知的、経済的、あるいはそれ以外の側面において、国家（the State）に対する抵抗である。（ドゥルーズとガタリはこれを、いかなる理由をも欠いた「戦争機械」とまとめる。私はこれをまともには受け取らない。それはおそらく、私が固定した状態（the State）にあるから、そして私だけでなく、彼らもまた）。いかなる場合においても、動いている方が固定しているより望ましいだろうか？ 答えはイエスである。これまで述べてきた理由で、およびこれから述べる理由で。

無目的性と方法《メソッド》 1　定義と免責

方法という言葉の類義語は、二つの群に分けられる。一つは、公式、戦略、戦術、やり方、ルーティン、計画、メカニズム、レシピ、ルート、設計、手続き、科学、技術、プログラム、システムといった語群で、いずれも行動の前に立案される計画という意味がある。そしてもう一つはより中立的な語群で、媒体、過程、手段、アプローチ、道筋、実践、スタイル、形式、技芸、マナーといった言葉が含まれる。これらは必ずしも特定の技術や特有のやり方を指すとは限らない。無目的性は後者の種類の方法である。サイエンスというよりはアートであり、システムというよりはスタイルである。

＊＊＊

無目的性（aimlessness）という言葉は、だるさ（listlessness）とは違って、状態や恒常性《ホメオスタシス》を意味しない。無目的性は、「多数の小さな自発的出撃を、未知へと」送り込もうとするのであり、だから私たちはカウチポテト族を「希望なし」（hopeless）、「役立たず」（useless）、「脳なし」

(gormless)などと呼ぶことはあっても、「無目的」と呼ぶことはあまりない。この言葉は侮辱に使われることはない。

＊＊＊

次のような「免責条項」を設ける必要があるだろうか？　おそらくあるだろう。

1. 目標や目的、計画や野心のない人生は、おそらく愚かしいものであるし、浪費であろう。私の言っていることも、それ以外の何物でもない。
2. 理論を楽しませることは、それを後押しすることとは違う。否定を楽しむことと、否定そのものとは違う。
3. 方法としての「無目的性」を試すこと、無目的性を方法だと考えることは、実際のところ、目的を前提としている。「手続き」には目的はないかもしれないが、「方法」には常に目的が存在する。「無目的性」は自らに反して動機付けられる。

無目的性には価値があると私は確信しているし、今やそのことは明らかであると思いたい。その価値を「効用」で測ることは、もちろんある程度だが、本プロジェクトには完全に反している。ある種の芸術的創造性、ある種の科学上の問いや、ある種の霊的・宗教的実践は、まさにそこに依存している。つまり、無目的性を通じた効用、ということである。本書の目的は、人間の根本的な性質および方法としての無目的性を検証することにある。無目的性は、類義語である無関心、アパシー、その他さきほど私が挙げた単語と同様、非難されてきた。とりわけ産業社会ではそうである。しかし、仏教やヒンズー教、キリスト教の「野のユリ」、一部の哲学者（例えばウィリアム・ジェームズの「リラクゼーションの福音」）や作家（プルースト、スタイン、ホイットマン、ビート世代、ポストモダニスト）、映画作家、アーティストは、無目的性を称揚してきた。

＊＊＊

「無目的性は厳格性の対極にある」、「達成のためには厳格性が必要」、「したがって、無目的性は達成の敵である」といった考え方を私は解体したい。おそらくどのようなアーティストも、アートには想像の自由こそが必要だと語ることだろう。厳格性によって思考に枠をはめてはならないし、それで成功するとも限らない。ブルックスとフリンが、彼らの「狂った小さなロボット」について語ったように、「全的な自律性が実際には、ミッションの信頼性を増す」のである。

ひょっとしたら読者は、無目的性が好ましいのはアート分野だけではないかと言いたいかもしれない。例えば吊り橋を掛ける際に、無目的性が有用な戦略に一体なるのか？　と。が、ちょっと待って欲しい。

実際には、建築家の仕事においても、無目的性が重要であることが判明している。その好例が、シドニー・ポラックによるドキュメンタリー映画の中で建築家フランク・ゲーリーが、シニア・パートナーの一人であるクレイグ・ウェブ（不気味なほどライル・ロヴェットに似ている）と、座って紙片をくちゃくちゃにしてテーブルに投げたり、またそれを眺めたりしている映像である。彼らは何度も紙を丸め、投げる。新しい紙を丸めては投げ、またそれを見つめているのだ。その結果生まれた一つか二つの形に彼らはこだわり、役に立つかもしれない紙の形について話し合う。これは『易経』の方法論を使った建築と言える。ランダムではないランダムさ、目的を持った無目的、わざと偶然に作ったものを見つめ、その意味や、捨てたものの中で役立つものを決める。

しかしもちろん、紙を丸めて投げることで金門橋を架けることはできない（鉄を何十トンも太平洋に投げ捨てることでも）。ソール・ベローの小説『ハーツォグ』で主人公は、自分を責めながら、「破壊によって鉄道を建設することはなかった」と語る。

フランク・ゲーリー設計の建物も、視覚上のアイディアを工学的な要求に変換する大量のコンピュータ・プログラムがなければ建築することはできない。無目的性のないゲーリーはないが、無目的性だけのゲーリーもないのだ。

＊＊＊

プログラム的なものが思考に入り込んでくるのを、私が嫌っていることは認めざるを得ない。ルーマニアとフランスで、崩壊と絶望の哲学を展開したエミール・シオランは、無目的性の対極にあるのは厳格性ではなく、暴力だとしている。

アイディアは取り換えが効くものだと認めるのを拒むとき、血が流れる…。確固たる決意が短剣を引き出す…。ハムレット的な決意に影響された「揺るがない心」は、これまで多くの害をなしてきた。悪の原則はこうした決意の中にあり、そこには疑問の余地がない…。真理を追求し、それを見つけたという確信、ドグマへの情熱ではないような「堕落」はあるだろうか？ …結果として生まれるのは熱狂である…懐疑論者（あるいは怠け者や審美家）だけがこれを逃れることができる。彼らは何も提案しないからである。

そして私は、これを提案するアイロニーに気付いている。「何も提案しない」ことを提案しているのだから。

そしてもちろん私は、本書全体を貫くアイロニーも意識している。私は「無目的性」に目的を定めているのである。

＊＊＊

もし定義と免責が消されないならば、それらはアイロニカルな逆転ではない。ジュアン・フェリペ・ヘレラならば無目的性の「アッセンブラージュに対する注釈」と呼ぶだろう。片隅で半分埋もれたまま待っている、テクストのさらなるスクラップである。

無目的性とノマド２　リオタールとチンギス・ハン

ジャン＝フランソワ・リオタールのエッセイ集『ドリフトワークス（漂泊集）』を読んでいるとき、私は芭蕉の「無目的な風に沿って漂泊する（片雲の風に誘はれて、漂泊の思ひやまず）」という文が頭に浮かんだ。「漂泊はそれ自体、批評の目的である」とリオタールは宣言している。そして「批評はさまよい出ないといけない」。あらゆる批評は「批評家たちが期待するように資本主義を超越するどころか、資本主義を強化する結果に終わる。変化を起こすのは批評ではなく、欲望の変化であり、カセクシス（心的エネルギー）の撤退である」とリオタールは論じる。リオタールは一九七〇年代初頭にそれが「労働、現代生活、消費、民族、家族、国家、所有、職業、教育」で起きたと見ている。このリビドー的な撤退は、こうしたものすべてを信じていない若者の間で起こった。言い換えると、対抗文化の中にいた。ああ、一九六八年の精神！　そこから私たちはどれほど遠ざかったことか。

一九七二年に、あらゆることを拒絶した若者の中にいたのは、ジョン・レノン、ティモシー・リアリー、ババ・ラム・ダスだけではない。他にも多くの若者がおり、カセクシスを別の方向に向けていた。ドナルド・トランプ、ミッチ・マコーネル、ジェームズ・ダイモン、ウラジーミル・プーチン、スティーヴン・バノン、ハーヴェイ・ワインスタインなどで、おそらく彼らは漂流することは多く、カセクシスは少なかったろう。彼らにも国家に対する抵抗があった。その結果が、ＥＰＡ（経済連携協定）、教育省、ＮＯＡＡ（海洋大気庁）、国際同盟、法の支配などの骨抜きである。国家を叩きたいと思っているのは、もはや左派だけではなく、右派もである。リオタール、ドゥルーズ、その他同時代の思想家たちは理論的に国家を否定するだけでなく、暴力《テロス》を否定している（リオタールとドゥルーズの出生は、数か月しか違わない）。目的の否定、のちに「目的志向の生活」「効率的な人々の習慣」として売り出されるものの否定は、方法だろうか信念だろうか？　芭蕉の場合、漂泊は文字通りのものであって、理論として使っているわけではない。エッセイは形式として漂泊するものだが、漂泊すること自体をテーマにしたエッセイは多くない。

＊＊＊

リオタール自身は、彼が「リビドー経済」と呼ぶこの概念から、彼の著作の中で最も知られている『ポストモダンの条件』や『文の抗争』へとさまよい出た。リオタールはこれらの著作の中で、私たちがいかにして差異を判定するのかを問うている。有名な例を出すと、オーストラリアの原住民アボリジニーの土地所有権をめぐる議論を取り上げ、原住民による「法」ではオーストラリア法は正当ではないし、オーストラリア法では原住民の「法」を正当と考えないだろうと論じている。したがって、正義が担保されるような中立の方法や場所はないのである。ウィリアム・ジェームズがこの問題を取り上げ、別の信念体系を持つ人々（例えば宗教対科学）の要求を私たちがどのように判定するのかを問うた。彼は「お手上げ」で、こうした問題は解決できず、言明の真実性は結果にしかない（論より証拠）とした。というのも、言明が命題として真になるのは、ある特定の真実という体制の下であり（例えば、生物学や発生学は進化論を唱え、宗教は創造説を唱える）、別の信念体系の間に立って判定するような場所（アルキメデスの点）など存在しないからである。リオタールも同意するが、こうした「通約不可能性」（アボリジニーから土地を取り上げるという過ちを、オーストラリアの法廷は過ちとしない）を、リオタールは「抗争」と呼ぶ。二つの集団が、共通の言語体系や、共通の判断体系に合意しないときはいつでも、言い換えると、常に抗争が起きる。そして問題は、ヴェン図で重ならない円に存在するといった「提示不可能なものをいかにして提示するか」になると、彼は示唆する。

そのための道具になるのが、リオタールの言う「パラロジー」である。「パラ」とは「横に、上に、対して」などを表す接頭語、そして「ロジー」は法則や言語を表す。したがってパラロジーとは、通常の言説の外側にある、あるいは通常の言葉を過激に組み合わせた、言葉やフレーズや沈黙を指す。パラロジーは、既に成立した推論（あるいは発言や規則付け）に対抗して（あるいはその横や上で）機能する。ポストモダニティを、まず第一に「メタ物語に対する不信である」だとするリオタールの考え方に付随した概念である。さらにリオタールは、進歩や科学といった「大きな物語」を阻害する「小さな物語」が、権力作用を阻害する抗争を引き起こす可能性がある、とする。各アボリジニーの物語は、国家による法律への挑戦であり、合意への異議申し立てであり、変化のための力である。であるので、リオタールにとって芸術や感情や提示できないものを提示するのはパラロジーであり、漂流もまたパラロジーになり得る。コラージュはパラロジーを当てにしている。

結果指向、収支第一の社会の中で、無目的性はパラロジーである。無目的性についての様々なアイディアを横に（縦に、向かいに）並置することで、私は抗争だけでなくコラージュを作りたいのである。詩人や哲学者、各ジャンルや概念をただ並べるのでなく積み重ねるのだ。ランキンが言うように、経験とはただ経験されるのではなく、身体に刻みつけられ、記録され、集積される。雪は漂流することがあるが、「雪だまり《スノードリフト》」は、雪が集まり、蓄積したものであり、一時的にとはいえ独自の形を持っている。

＊＊＊

ドゥルーズとガタリの著作の中で、第一のノマドと言えばチンギス・ハンである。しかし彼は、蓄財に駆り立てられた男であった。ヒトラーやアレキサンダー大王と同じように、漂流者ではなかったのだ。ノマドの生活を知っている人にとっては、これは驚きではないだろう。羊やヤギ、牛やラクダを移動させるとき、彼らが道から外れないように、逸れようとする動物たちを引き留めることが仕事である。飼い主はムチや馬、犬を使って、漂流を封じ込めようとする。ノマドの狩人たちは、自分や近親者の食事のために狩りをする。そこには漂流という要素もあるが、むしろターンするレーシングカーのドリフトと似ているだろう。つまり、制御されたドリフト、動機付けられたドリフトである。ハンドル操作の目的ではなく、形であり、ステアリングの方法であり、螺旋に沿うための道筋である（螺旋から出るためでなく）。

＊＊＊

チンギス・ハンはモンゴルのどこにでもいる。私は、四〇メートルもの高さのある、ステンレス鋼で作られたチンギス・ハンの騎馬像を訪れたことがある。ウランバートルから東に五六キロほど離れた場所の、数十段の階段をのぼったところだ。馬の頭のてっぺんに展望台が作られており、そこから周囲の牧草地を広く見渡すことができる。実際の馬、羊、山羊、ヤク、牛たちが散在し、ずっと草を食んでいる。時として男や少年が（馬に乗っていることも、バイクに乗っていることも、何にも乗っていないこともあるが）、家畜の群れを別の方向に先導すると、群れはそれについていく。羊飼いたちはチンギス・ハンと同じように、広い土地を最も効率的に使って利益を上げる術を知っている。ノマドであるかどうかは別として、あらゆる羊飼いは、方法としての無目的性を理解し、それがでたらめに方向を決めるような「純粋なランダムさ」以上のものであることを知っているのだ。

＊＊＊

ロマン主義抜きでノマドについて考えることは可能だろうか？　私には無理だし、ノマドについて何十回も記したブルース・チャトウィンにも無理だった。誰がその誘惑に抗することができるだろうか？　ノマディズムに惹かれないような俗物とは？　私が多く知っているとか、ノマドをロマンチックに捉えることがいかに実像とかけ離れた不正確なものかを知っているということは、問題ではない。モンゴルにおけるノマドたちは、土地を政府から六〇年契約で借りなくてはならず、自動車やトラックのタイヤを埋めることで土地の目印にしている。「ここが自分たちの土地」「自分たちの家畜の土地」というわけだ。彼らの土地で他人が家畜に牧草を食べさせることを、彼らは決して許さない。そこは彼ら自身の家畜のための土地だからだ。その意味で彼らはあまりノマド的ではない。彼らがユルト（彼らの言葉では「ゲル」）を動かすのは年に二回だけで、それも二〇キロとか、四〇キロ程度の移動である。冬にはその土地の中で最も温かい場所に、夏には最も涼しい場所に移動するのだ。彼らは春と秋に移動する牧場主である。ロマンティックに見えるかもしれないが、それほどでもない。夏に別荘に移動する人々や、新たな場所に向かう「トレイラーハウス」を持っている人々に似ている。但し「隣人」は少ないが。

＊＊＊

彼らは、ドゥルーズとガタリの「革命的ノマド」ではないし、フーコーの「ノマド」でさえない。フーコーにとって、ノマドによって切断されたロマンティックな図式は、彼のパノプティコンの産物、「規律社会」論の副産物に過ぎない。周縁性につきまとう叙情《リリシズム》は、偉大な社会的ノマドである「アウトロー」イメージの中に洞察を見出す。アウトローは、従順で恐れている社会秩序の制約を利用する。犯罪が生まれるのは、社会の周縁部や、打ち続く「追放」を通してではない。規律的強制の蓄積によってかつてないほど監視が行われ、それが社会のただなかに密着しておかれることになったために、犯罪が生まれたのである。

ある水準でこれは、構造主義の初歩と言える。「アウトロー」は法律によって生み出される。しかしフーコーによる著述の多くの部分でそうであるように、ある考え方の魅力は、それが私たち自身の不安を簡潔にまとめてくれているところにある。この場合には、私たちの叙情《リリシズム》に関する不安である。だからこそ多数の進歩派は、フーコー思想の中心にある「閉じた体系」に気が付くと、フーコーが社会変化のメカニズムを語らないことに関して彼を攻撃したのである。フーコーは政治その他の役割を、完全に否定しているように見える。もしアウトローでさえも法律に挑戦できないとしたら、それ以外の人々にとってどんな希望があるというのか？　ノマドでさえも彷徨えないとしたら、私たちはどこに行けるのか？

だからこそ、一九七一年にオランダのテレビ番組で行われたフーコーとノーム・チョムスキーの有名な対談の後で、チョムスキーは「フーコーが完全にモラルを欠いていることに打ちのめされた。これほど完全にモラルのない人物に会ったことがない」と述懐したのである。チョムスキーは当惑しているようだ。「個人的にはフーコーのことは好きですよ。問題は、彼を理解できないということ。フーコーは人間ではない、別の生き物か何かみたいです」

＊＊＊

ブルックスとフリンが、最初の「速くて、安くて、制御不能」なノマド型ロボットの原型を作ったとき、彼らはそれに「チンギス」と名前をつけた。

＊＊＊

ジョン・ウアが著書『ノマドを探して　ヘスター・スタンホープからブルース・チャトウィンに到る英国のこだわり』の中で、人々がノマディスムの中に見出す叙情について書いている。副題には「英国」と入っているが、この本は米国のこだわりについても語っている。「ノマド」という言葉は定義の難しさで悪名高い。彼らは牧草地を季節ごとに移動する羊飼いなのだろうか？　それとも固定した住処を持たずに移動し続けるロマなのだろうか？　流浪の後で故郷に帰ることは、真のノマド失格なのだろうか？「ノマドである」とは、心の持ち方なのだろうか、それとも身体の活動なのだろうか？

こうした問いは疑いなく、私たちがそれに与えるどんな答えよりも、意義深いものだろう。

無目的性とコラージュ2　トカルチュク、ニーチェ、モリス

オルガ・トカルチュクのコラージュ風小説『逃亡派』には、空港で二人の講師が、EU規模で行われるアウトリーチプログラムとして、「旅行心理学」の講義を行う場面がある。講師の一人は、学術講演のパロディ風に、旅行心理学の中心概念は「巡り合わせ《コンステレーション》」であるという。さらに、あらゆるコラージュ派のモットーとなりそうなことを述べる。「真理を運ぶのは一貫性ではなく巡り合わせだ」。彼らは、旅行は物語ではなく巡り合わせ、コラージュだというのである。

＊＊＊

ニーチェはしばしば、省略の多いコラージュを使った。警句や格言を積み上げて、時にはより大きな構造を組み立てているように見え、時にはそれをつなぎ合わせようとする読者を苛立たせた。彼は大衆を封じ込めた。ホイットマンのように、「もし私が自分自身と矛盾しているとしたら、自分自身と矛盾しているのだ」といった意味のことを述べた。

ニーチェのテクストはエッセイのように渦を巻くが、エッセイ的ではない。著者が今考えている、

というフリをしない。ニーチェの文章は、考えている経過を示すのではなく、思想である。既に完成形を示している。私たちの目の間で考えが生起しているのではなく、磨き抜かれたアフォリズムである。全体がコラージュとして機能する。それも、わざと不調和に作られたコラージュである。ニーチェは、『人間的な、あまりに人間的な』において「賢い人間の興味を惹くためには、不可解な逆説の形で記すだけで十分な時がある」と書いている。

＊＊＊

トカルチュクもまた、それ自体で完結したエッセイを書くこともあれば、本の中で「巡り合わせ」の一部として書く場合もある。ある短いエッセイの中で彼女は、人々が旅をするのは「時間と空間とが合意に達する完璧な点」を求めてのことだ、と示唆している。「家を後にし、無秩序に移動することで、この点と巡りあう可能性を増やそうと望む」。別の評論で彼女はこう書いている。「まっすぐな旅程はなんと恥ずかしいことだろう。どれだけ心を壊すことか。何たる背信の幾何学。私たちを愚かにする。行って同じ道を戻るだけでは、旅のパロディだ」。こうも言う。「世の中には自発的に起こることがある。夢の中で始まりそして終わる旅がそうだ。自らの居心地悪さという、混沌とした呼び声に導かれて旅をする者もいる」。こんな表現もある。「だからあらゆる専制君主や非道な官吏が、ノマドに対して根深い憎しみを抱いているのだ。だから彼らはジプシーやユダヤ人を迫害し、自由な人々を定住させ、私たちへの「判決」として機能する「住所」を割り振るのだ」。

こうした思考はそれぞれ、別の登場人物による発言として、物語に埋め込まれている。話は複雑なコラージュの一部を成しており、読者はこの自動記述のような本を、どれが本当で、どれが著者の経験で、どれが著者が聞いた話で、どれが純粋なフィクションなのか、思いを巡らせながら読み進めることになる。ここまで挙げた「意見」はいずれも別の人物の発言ではあるが、いずれも軽いものではなく、著者自身の意見にも見える。それらは積み重なり、全体がフィクションとして提示されるものの一部となっているが、フィクションは常に、エッセイストの秘密兵器となってきた。トカルチュクがこの集積を小説と呼ぶかどうかは重要ではない。バフチンはもとより、私も含めた多くの人の定義では、これはエッセイである。

＊＊＊

エロール・モリスのドキュメンタリー映画『ワームウッド　苦悩』は、コラージュとして構築された映画的エッセイであるだけでなく、コラージュ論でもある。簡単に説明すると、この作品の主人公はエリック・オルソン。彼は一九五三年に父を亡くしたが、その死はＣＩＡによるものではないかと疑っている。

しかしこの「劇中劇」の中核は単純なミステリ、フーダニット（誰が殺したのか）である。コラージュは「必要最小限」という考えを捨てる。コラージュはむしろ、継ぎ足し継ぎ足していくのだ。

『ワームウッド』はモリスがそれまでの映画で使ってきたコラージュの技法を総動員している。新たな撮影、ファウンドフッテージ、アーカイブからの映像、カラー、白黒、操作された映像やひどい状態の映像、フレームの縦横比率やカメラの種類も様々で、ドキュメンタリーも再現映像もある。画面分割も使い、同じ瞬間の別の場所を二か所、三か所、四か所などと複数映し出している。これは視界のコラージュと言える。その上おそらくより興味深いことに、写真を使ったストップ・アクションのコラージュも導入され、この形態のプロセスへのこだわりを示している。こうしたコラージュはインタータイトルとしても使われ、映画の別の部分とつなげる役目を果たしている、もしくは、その断片的な性質を示唆している。

＊＊＊

フランス語のコラージュには多数の意味がある。その中には「違法行為」という意味もある。すなわち、興奮やスリル、隠蔽、欺瞞、詐欺、混乱にあふれている。

＊＊＊

モリスの手法もこの意味でのコラージュである。モリスの作品のテーマは、カモフラージュ、神秘化、および騙しの中を流れて行く。モリスの映画では推理小説のように、まず謎が提出され、最初に提示される答えは間違っているか、不十分なものである。『ワームウッド』において、フランク・オルソンの「落下」が、事故もしくは自殺として家族に伝えられ、ニュースで報じられた（マンハッタンでの出来事なのでニュースになった）ことを視聴者は知る。エリック・オルソンの根気強い調査で、遂に政府は、父フランクがCIAによるLSD実験の対象だったことを認める。これが一九七五年に暴露されると大スキャンダルとなった。オルソンがホテルの窓から「落ちた、あるいは飛んだ」のは、LSDによる「バッド・トリップ」のさなかであると、話は続く。ジェラルド・フォード大統領と、ウィリアム・コルビーCIA長官が家族に謝罪し、謎は解決する。

しかしそれは事実と違った。というのも、エリックが父親の遺体を掘り起こすと、墜落以前に鈍器で殴られた傷が見つかったからだ。殺された後で、事故か自殺を装うために窓から落とされたようである。生物兵器に関して新たな陰謀が浮かび上がる。フランクが告発者であったから、殺され、窓から落とされたのではないか？　オルソンの家族に謝罪したコルビーは、１９７５年の穏やかな日に、カヌーに乗った後で亡くなっているのが見つかった。これも兵器計画隠蔽の一環で殺されたのかもしれない。モリスは矢継ぎ早に別の謎を投げかける。父の死についてでなく、息子の生についてである。このコラージュ作家は、エリック・オルソンが父の死にまつわる謎を解くために、実益がないのに職業生活や人間関係を犠牲にしてまで生涯を費やしていることが、彼にとってどのくらい悲劇的なコストであるのかを問うているのだ。レイチェル・サイムが「ニュー・リパブリック」誌で書いているように、モリスはこれが悲劇であることを分かっている（映画のタイトルは『ハムレット』から取られている）。そしてオルソン自身も。

＊＊＊

ニーチェは自分でもコラージュを使ったにもかかわらず、コラージュに対して不満も感じていた。「私たち近代人は、自分自身のものを何一つ有していない。自分を外来の慣習や芸術、哲学、宗教、科学で満たした時にのみ、価値ある存在となる。私たちはさまよう百科全書《エンサイクロペディア》である。もし古代ギリシア人が私たちの時代に迷い込んだら、間違いなく私たちをそう呼ぶだろう」。

それでニーチェは、切り貼りをすること、破滅に備えて断片を支えることについて、T．S．エリオットのように失望している。ニーチェは不本意なコラージュ作家である。

私たちポストモダニストはその対極にいる。私たちはコラージュをリミックス文化と呼び、「悪くない」「意味がある」「好きだ」と言う。

＊＊＊

モリスは強硬な反ポストモダン論者である。映画『灰皿』は、トマス・クーンおよびウィトゲンシュタイン、その他彼が文化相対主義に責任がある悪魔だと考える人物を取り上げたものである。私は彼の手法について言っているだけだが、彼はおそらく本書を憎むだろう。

＊＊＊

モリスの手法の中に（そして私自身の手法においても）幸運な偶然を見分けることができるだろう。モリスが映画『死神博士の栄光と没落』を撮り始めた時、そのテーマである、処刑装置のオタク的な商人が、最後にはホロコースト否定論者になるという結末を予期していただろうか？　映画コラージュの第一人者であるモリスは、エリック・オルソン自身もまたコラージュ・アーティストであるだけでなく、セラピーの道具としてのコラージュで博士論文を書いたことを知っていただろうか？

その論文の中でオルソンは、「心は本質的に、複数者の社会であり、コラージュはとりわけ、抑圧された多重性である」と書いている。

＊＊＊

アーティストのロバート・マザーウェルは、「コラージュは二十世紀最大の発明だ」としている。

作家のキャロル・マソは「女性的な感性あるいはエネルギーは、…不確実性のもとに生きる意欲であり、定義について思い煩わない能力である。ハイブリッド形態、すなわち、流動的で、多孔的で、奇妙で、血を流しているようなテクストを抱きしめること」とする。アーティストのロメール・ベアデンは「アートは別のアートから作られる」と言った。アーティストのマックス・エルンストは、「現実の相異なる二つの側面が、それとは相容れないような一つの平面上に並置されるとき…その二つが隣り合っているという事実が、エネルギーの相互の交換へと到る」としている。

無目的性とコラージュ３　エンサイクロペディア

子供の頃、『コロンビア・バイキング・卓上百科事典』に夢中になったことは、私の無目的性気質にどのくらい影響したのだろうか？　それとも、私が最初から持っていた無目的性気質の、初期の「発現」だったのだろうか？　それはコンクリートブロックよりもやや大きい、一二〇二ページの、純粋な娯楽本だった。さらに何十ものぜいたくな、光沢のある図版がついていた。魚の図鑑や、世界の国旗や、様々な属など、私は特に目的も持たずにそれを読むのが好きで、いつも驚かされていた。ある時、最初から最後まで通読しようと決めた。百科事典の連環的な知識を身に着けられるだろうと思ったのだ。「Aalborg」（オールボー）から「Aardvark」（ツチブタ）など、「A」で始まる事項の説明を読んでいるうちに、読者の方々もお分かりだろうが、このやり方があまり面白くないことに気付き、途中で止めた。

百科事典はコラージュである。情報の世界が細かく刻まれて、アルファベット順に並べられている。アルファベット順という手法は本質的に、体系を持たない。いかに有用といっても、アルファベット順は、私たち人間が行う秩序立ての中で、最も非差別的で、最も恣意的な組織方法と言える。

ランダムに読む場合も、順番に読む場合も、百科事典はこの「アーカイブ」を平坦化する。辞書と同じように、「horse」（馬）、「horsefly」（虻）、「horsepower」（馬力）、「horseplay」（バカ騒ぎ）、といった事柄を、どこよりも平坦な「競技場」に置くのである。唯一のヒエラルキーは、記事の長さである。ちょうど、モダニストによるコラージュにおいて、文字の大きさで重要性が測られるように。百科事典は、世界を表象するために、あらゆるところから情報を切り取ってきて、近くに並べるコラージュである。これは大きな仕事であると同時に、アルファベット順に並べるという種類の「無目的性」を要する。

＊＊＊

百科事典的衝動は、異なったやり方で私たちを襲う。大半の七歳児にとって、百科事典を読むことはスリリングな行為ではないだろう。多くの大人は、若い頃を振り返って百科事典を見ることをしない。しかしこの衝動は、様々な見せかけで現れる。例えばトレッキー〔スタートレックのファン〕などトリビアを基にしたサブカルチャー、切手収集、あるいは、履ける数よりも多くの靴を買う女性たち。この百年に上演されたブロードウェイのミュージカルの全ての歌詞を知っているジャンキーたち、あらゆるジャンルの完全を目指す収集家たち。完全を目指そうとすると、新発見は止むことがない。アーカイブを完全にしようとすると、道は尽きない。偶然にも支配される。

＊＊＊

百科事典は「漂流」を可能にする。

「N＋7」という、文章の中の名詞を、辞書で七つ後の単語に置き換えるというウリポ〔一九六〇年に数学者のル・リヨネーが設立したフランスの文学集団で、アルフレッド・ジャリやレイモン・クノーなどが参加した。言語遊戯を特徴とする。ちなみにオリジナルは「S＋7」で、その英語版が「N＋7」〕の技法があるが、これは百科事典的漂流の完全な例だろう。

百科事典は方向付けを与えてくれる。マーマレードについて知りたいとき、百科事典が助けになるだろう。マーモットについて知りたいとき、百科事典をひけば、モンゴルのノマドに肉や毛皮を提供する動物と書かれているだろう。

＊＊＊

ラブレーは常のように、こうしたコメディと波長が合っている。

各々方の御前には、無類の宝玉とも申すべき御仁が居られる。即ち、このパンタグリュエル殿だが、その名声に引き寄せられて、愚生もイギリス国のはるか奥地より、この地へ参り、魔術、煉金術、陰陽学、土占術、占星術、また哲学に関して、愚生の心に宿りたる解き難き問題について、この殿の御意向を伺う心算でござった。されど今、愚生は、殿の名声なるものに対し憤怒を覚える者でござるが、即ち、殿の名声は殿自身を嫉妬いたすがごとくに思われるのでござる。その故は、殿の名声は殿の現実の姿を千分の一も伝え居らぬからでござる。各々方の御覧の通り、パンタグリュエル殿のお弟子のみにて愚生の意は充たされ、望外の御教えにあずかった次第だが、それのみならず、他の貴重至極なる疑義をば御啓示賜り、同時にこれを解明してくだされた。かく観ずれば、この弟子なるお方は、まぎれもない全智の井泉と深淵とを愚生のためにお開きくださ れたること夢疑いなく、これによってこれを看るに、正に、この御仁は、単に初歩の智識のみを心得られたるお方とは考えられぬのでござる。これは、われらが一言半句も口脣を動かさずに、身振りを以って論争いたしたる折に、しかく悟ったことでござる。それのみならず、かく相成りし上は、相ともに討議いたし解明いたせしことをば十分に文書として記し留めて、世の人々より悪逆戯笑の振舞いなりしよと思われざるようにいたしたく、これを印行に附して、世人をして愚生のいたせしがごとく、これに学ぶことあらしめたいと存ずる」（渡辺一夫訳、岩波文庫版ラブレー『第二之書　パンタグリュエル物語』pp.174-175）

無目的性と旅1　地平線

子供の頃に私は、クリストファー・コロンブスが海を見ていて、船が水平線から見えてくる姿から地球が丸いという考えが浮かび（漫画ならば、電球が彼の頭の上で光るだろう）、新大陸の発見と征服、さらにその後につながったという考えにうっとりした。といっても、私を魅了したのはその推論ではなく、水平線を見つめるまなざしである。この想像は何度となく私に、学校の机から抜け出してどこかの海岸へ向かい、港を見つけ、波止場を歩き、未知のものを覗きたいという抑えきれない衝動をもたらした。

＊＊＊

モンゴルでは、ほとんどどこでも、そしていずれの方向でも、地平線には丘が波打って見え、深い空が遠くの雲の上部を毛羽立てている。

＊＊＊

「地平線」は概念でもある。ハンス・ゲオルグ・ガダマーは、「地平線とは、私たちが置かれた状況の中で、見える範囲である」というストレートな定義をしている。したがってガダマーの解釈学の中で地平線は単純に、私たちが「見る世界」として理解するものとなっている。このメタファーは既に緊張の中で軋んでいる。私はコロンブスのように、地平線を超えたところにあるものを考えることができるし、「理解」は地平線を超え、見えるものと見えないものの両方を含んでいる。もちろんガダマーも承知で、意味の多様な文脈をカットする近道としてこの言葉を使っているのだ。ドゥルーズの「ノマド」の場合のように、メタファーとしての意味は呪わしい。「地平線」は私たちが直接に接することのできる範囲を画するものであり、私たちの追求できる外側にある。哲学や私たちの地上での時間を使って、この瞬間の地平線を超えるのを見たいのではないか？　私たちは、未来指向の動物ではないか？　未来指向の動物は皆、次の食事を求めて地平線を超えていくのではないか？　私がベッドに入る時に、私の妻が「明日の晩に何が食べたくなるか分かるわ」と言ったのは一度だけではない。人間の中には近視眼の人もいるが、しかしみな未来を見ているのである。私たちの時間的な到達は、把握できる範囲を超えていくだろう。

私は子供のころ、「熊と山」を歌った歌に魅了されたのを覚えている。こんな歌だ。

熊が山を乗り越えた

熊が山を乗り越えた
熊が山を乗り越えた
何が見えるか知るために

熊が見たのは別の山
熊が見たのは別の山
熊が見たのは別の山
別の山を熊は見たのだった

そして
熊が山を乗り越えた
（続く）

この歌詞が繰り返されるのである。言葉ではうまく言えなかったが、私は衝撃を受けた。一つにはこの歌詞の表わすがっかり感があり（何を求めて山を越えるのか？ 別の山があるだけじゃないか！）、もう一つには無限に連続する感覚である。山の麓にいる時、熊は反対側について何も考えなかったのだろうか（どんな可能性もある！）。しかし、地平線を超えたら地平線のない世界に到達すると考える者はいないだろう。見ることのできるものを見るために乗り越えていくと、また新たな地平線が出迎えてくれると前提するに違いない。見る景色を変えるために、状況を変える。そしておそらく、山は別の山に置き換わるだけだが、熊が第三節で見た山は、最初の山とは違う、新しい山、異なった山である。この歌はただ繰り返しを歌っているのではなく、同時に、失望と勝利を歌っているという事実を理解しようとして、私は奮起し、困惑もした。

別の言い方をすると、私は「ジングルの知恵」〔ジングルとは「ジングルベル」のようにもともと鈴の音のことだが、ここでは、詩などの繰り返しのフレーズを指す〕に打たれたのだ。

＊＊＊

ハンス・ロベルト・ヤウスはガダマーに従い、文脈的地平といった「読みの理論」を展開した。ヤウスにとって、「期待の地平」とは、ある特定の読者の文化的なコードや習慣の結果として現れる。もしその読者が、あるジャンルを熟知し、一般的な一連の期待を有していたら、それが彼女の地平線となる。テクストが進んでいくにつれて地平線が変わることはあり得るが、一本の地平線が常に存在している。もしテクストが、例えば極端に分かりにくい実験的なもので、地平を見極めたいという読者を苛立たせるとしたら、その時読者は依然として単語と文字の「海」に浮かんでいるのであり、意味を形成することができないのだ。

しかし、ある無目的のテクスト、例えば、多数の曖昧さが残るもの、理解に到る可能な道筋が多数あるもの、意味の層が多数あって一つに決まらないものなどは、「地平線のないテクスト」ではなく、多数の地平線のあるテクスト、と言える。この点は、ヤウス（およびガダマー）のメタファーにさらなる問題を引き起こす。読みの地平は、ガダマーの地平と似ているが、コロンブスが見ていたものとは違う。線ではないし、アウトラインでもないし、単一のものではない。むしろ揺れ動くもの、機体の不安定な集積である。単一のイメージではなく、多数の平面に乗った多数の線である。そして私たちはそれを、コラージュと呼ぶだろう。

＊＊＊

旅もまた、山を越える熊と同じように、地平線の多重化とかかわっている。それは解釈的なものでもあり、空間的、視覚的なものでもある。解釈の地平はほぼ常に拡大するものであり、なぜこんなことを言うかというと、初めは非常に目新しく感じた場所が、既に知っている場所のように思われ、新しい場所で数週間も過ごすと、そこが日常的に感じられるといったことがあるからだ。多重性がすり減り、蜃気楼は乾いた大地へと還って行く。耳で聞くと「pity me」（私を憐れんで）と同じ韻に聞こえ、目で読むと「epic home」（巨大な家）と同じように見える「epitome」（典型）は、一つの単語なのである。

物理的な地平線も、拡がったり縮んだりする。山に登ると、あなたの後ろの地平線は遠のき、時には一歩進んだだけで何マイルも遠ざかるが、前方に小さな丘や巨石が見えるだけで地平線は縮む。山を乗り越えると、常に新しい地平線が現れる。大洋かもしれないし、遠くに霧のかかる谷かもしれないし、熊の場合のように新たな山の稜線かもしれない。しかし丘を降りていくと、あなたの後ろの地平線は急速に縮み、ほとんど触れるくらいの範囲になる。

＊＊＊

果てのないモンゴルのステップを渡ると、ゴビ砂漠の巨大な砂丘群に出くわした。なんとなく気が遠くなった。遠くからでもそれらを見ることができた。砂の斜面や灰色の褶曲山地に囲まれた、でこぼこした黄褐色の「波」の斑点。そこでの写真は常に、砂丘がどこまでも、大洋のように続いているかのごとく、砂の地平線を見せていた。現地では「歌う砂丘」という意味で「ホンゴル・エルス」と呼ばれている。風によって砂丘の形が変わるたびに砂は音を立てる。砂とは結局、細かい何百万もの水晶であり、それが縁の侵食によって流れ落ちると、何千もの細かなガラスのコップのように触れ合って鳴るのである。その音は、明確には聞き取れないハープのようだ。

しかし、砂丘が息を呑むようなものだとしても、地平のかなたに私たちは常に、それを取り囲む別のものを見ている。砂丘は有限であり、乗り越え可能であり、願っていたほど崇高ではないのである。その向こうにはシャパラル（低木林）があり、さらに山脈が聳えている。私が砂漠に感じる崇高さは、多過ぎる地平線によって邪魔をされてしまう。

＊＊＊

ゴビにおいて、砂丘の前の、地味な緑色のうち続くステップや、あるいはラクダが移動する広大な低木地帯にしても、時にはその壮麗さが縮退してしまう。牧畜民はしばしば鐙《あぶみ》の前に立つ。彼らは小さな馬を好む。おそらくは、背の低い小さい馬の方が頑健であるためだろうが、ちび馬の方が速いだろうか？　私は遠くから、馬に立って乗っている人を見た。彼は綱渡りをする人が長いバランス棒を使うように、一五フィートの槍を肩掛けにして動物たちをまとめていた。何百頭もの馬の群れに追いついていた。そこから一マイル西では、バイクにまたがった少年が、やはり何百頭もの羊とヤギを動かしていた。地平線内のどこでも、経済活動が行われている。

＊＊＊

私は、フェルトの「ゲル」で暮らす、年に二回移動する家族とともに過ごした。冬に住む場所と夏に住む場所があるのである。ここでもグローバルエコノミーは健在である。二歳の末っ子は、ケータイにダウンロードした曲がお気に入りだった。一〇代の兄は、この弟と一緒に、スマホをブルートゥースを使って小さなスピーカーにしていた。彼らはこのスマホ兼スピーカーを車のバッテリーで充電し、車のバッテリーは戸外に置いた六フィート四方のソーラーパネルを使って充電していた。今ではすべてのゲルがソーラーパネルを備えている。この家族は何百頭もの動物を飼っていた。一千頭のラクダを飼っている家族もいた。その家では毎年、何百頭ものラクダが生まれ、何百頭も売られていった。肉や皮、毛の大部分は輸出のために売られる。地平線は経済的である。

ここで私もまた、現実の経済的な目的なしにさまよっている。この本が売れるとわずかにお金は入ってくるが、飛行機代にも足りない。私は同じように「儲からない」別の文学的試みについて書こうと思うが、一日か二日の滞在費にしかならないだろう。学者としてもらう給料も頭打ちであり。助けにはならない。まさに損失ばかりのベンチャーである。私は、群れていないノマドであり、羊を持たない羊飼い、馬を持たない馬乗りである。私の地平線は、まさに私の目で見える範囲、ただの地平線に過ぎない。

無目的性と怠惰１　ニーチェ、アドルノ、怠け仕事

　怠惰は無目的性の「従兄弟」であり、喜劇ではほとんど常に、とりわけ労働の対極として登場する。一九九〇年代の「のらくら喜劇」、例えば「スラッカー」「バッド・チューニング」「クラークス」「ビッグ・リボウスキ」「リストラ・マン」といった映画では、怠け者は愚か者か、フーコーの言う意味でのアウトロー（もしくはその両方）であるが、いずれにせよ笑い者である。コメディの第一人者はあちらこちらで見られるとしてもコミックの表現に怠惰はあまり使われない。

　社会において労働のあり方が大がかりに再編成されるとき、怠け者が社会的な典型として現れる。産業革命後ほどなく、文学の世界で怠け者が描かれるようになった。まずはドイツ、続いてイギリス、米国、インド、日本という順番である。一九九〇年代のコメディ映画も、労働市場において工場労働が消え、事務労働やサービス労働が支配的になったことに付随している。抑圧が増したと感じられる労働の世界を人々が理解しようとする時、無目的性は常に魅力的なのである。

　労働が不要となり、怠けるのが当たり前となった世界を描く『二六世紀青年』のような映画では、人々がすっかりバカになった姿で面白おかしく描かれる。労働は変化する、言い換えると、労働は

最悪だが、労働がないとジャックは退屈な少年になる。

＊＊＊

ニーチェは、労働と怠惰という安直な二分法に疑問を呈する。ニーチェによれば、目的に焦点を当てた行為それ自体は無目的だというのである。

活動的な人々は往々にして、個人の活動において高次なものを欠いている。彼らは役人や商人、学者として、すなわち「種族」としては活発であるが、十分に個は確立されておらず、その点において彼らは怠惰である。彼らの活動が、ほとんどわずかな意味しかもたないのは、「活発さ」にとって不幸である。例えば、私たちはお金を増やそうとしている銀行家に、その多忙な活動の理由を聞いてはならない。それはバカげたことだ。石が転がっていくように、機構の愚かさに由来するのである。

痛いところを突いている。銀行員による無意味な（私たちの「無目的な」とほぼ同じ意味だろう）活動が、「愚かさの重力」によって転がり落ちて行き、日常の仕事が怠惰なものであるということを示している。ニーチェのタオ（道）では、労働と呼ばれるもの（銀行員や商人や学者の仕事）は丸太を転がすことに近く、（a）仕事の倫理が教えるような有徳な行為ではなく、また、（b）アダムの呪いの一部でもなく、楽園から追放されたしるしでもない。中立的な行為であり、ホメオスタシス（恒常性維持）的であり、自分自身を消すことだ、とニーチェは言う。「活発な人間の魂の奥底には、怠惰がある」。

さらに、教授を待ち受ける特別な「地獄の輪」についても、ニーチェは紙幅を割く。

絶対に非人間的なことがら——単に無目的で、従って動機もないような知識——のために、非常に人間的な小さな動機が大量に化学結合して、その結果私たちの社会には「教授」が発生する。純粋に超自然的な物体という観点からあまりにも変形しているために、彼を形成したあらゆる「混ぜ合わせ」「叩きつけ」などは忘れ去られている！ 非常に奇妙なことだ。しかしそれを思い出さなくてはいけない時もある。それは、文化における教授の重要性について考える時である。観察力を備えた人間であれば、教授が生来、本質的に、非生産的であり、生産的なものを自然に憎んでいることに気が付く。かくして、思考や実践において、天才と学者の間に終わることのない闘争が起きる。後者は「自然」を殺してそれを分析、理解しようとするが、前者は新たに生きる「自然」によってそれを増やそうとする。幸福な時代は学者を必要とせず、学者を知らない。病んだ時代、不活性な時代が学者を上位に押し上げ、崇拝させる。

再び、痛いところを突いている。

＊＊＊

テオドール・アドルノは一九六〇年代末に、「自由時間」というタイトルの論文を書いているが、それはこうした思考を逆転させたもの、少なくとも転倒させたものと言える。私たちはあらゆる時間が商品化されているような文化に生きている、とアドルノは言う。かくして「自由時間」もやはり商品化される。「イデオロギー的な偏見抜きでこの問題に答えようとすると、自由時間が、その反対のものへと向かい、それ自体のパロディとなりつつあるという疑いを避けることができない」。私たちは徐々に無目的であることができなくなりつつある。

アドルノは自分自身のことだけでなく、「私」についても語っている。

私の仕事、つまり、哲学や社会学の著述を行ったり大学で教えたりといった事柄が、自由時間の厳密な対極としては定義できないという点で、私は幸運であった。近年では自由時間とそれ以外との峻別が要求されている。しかしながら私は、幸運と共に後ろめたさも感じながら、自分が特権を享受していることに充分気付いている。自分の意図で道を選び、自分のやり方で働くことができるというごく稀な機会を得た人間として話している。だから私の仕事自体と、仕事から離れてしたこととの間には厳しい亀裂はないのである。

エッセイの続きでは、余暇産業や日焼け、文化的保守主義、DIY主義、その他の「疑似的活動」が槍玉に挙げられる。こうした活動をアドルノは、「ショーペンハウエル的退屈」の一種と見ている。だが最後の部分でアドルノは、自由時間がもう一度「自由」になる可能性も認めている。一九六〇年代当時、自由時間は「流行のエートス」に堕落してしまったとアドルノは考えていた。「流行のエートス」は、雑多なものや異質なもの、その場所と明確に結びついていないものを、怪しく感じる。言い換えると、無目的に見えるものを怪しむ精神である。

＊＊＊

「のらくら喜劇」の機能の一つは、「アクチュアルな」自由時間のイメージを人々に与えることである。リボウスキや、「リストラ・マン」で仕事を辞める男や、ケヴィン・スミス監督作「クラークス」に出てくる麻薬常習者たちは、アドルノの言葉で言えば、「自分の意図で道を選ぶというごく稀な機会」を得ており、自由を考える思考実験として機能している。これらの物語において、物語の流れやモラルはしばしば、「流行の価値観」に戻るかもしれない。しかしある意味で、それは大して重要ではない。怠け者たちが、巻き込まれたトラブルから得るものが何もなくても、物語のユーモアがまさに怠け者たちが自分たちのパロディになっていることに一部由来していても、彼らが「鉄の檻」〔社会学者マックス・ウェーバーが、強固な官僚制を指して表現した言葉〕からの解放を提示していることに対して一瞥を与えることを忘れてはならない。希望としての無目的性。結局、私たちはどこかから始めなくてはならない。仕事を辞めて、ボーリング三昧、あるいは、堂々とした馬に乗り誇りをもって自由なノマドとなり、肩にワシを乗せてあらゆる方向に地平を探す。なぜロマンティックなイメージを経済的な現実によって壊させるのか？　こうしたロマンティックなイメージこそが、私たちを持続させているのだ。

＊＊＊

私自身もニーチェと共に、「私が怠惰や怠け者について語る時、あなたは自分のこととして考えていないだろう、この無精者」と言ってみよう。どうですか？

無目的性と生命１　ドラッグと自己懐疑

ジョン・レノンとポール・マッカートニーは、アルバム「リボルバー」（コラージュ・カバーを使った最初のアルバム）に収録された「トゥモロー・ネバー・ノウズ」において、私たちに思考を止めてリラックスし、流れに身を任せることを勧めている。これはドラッグの歌である。

＊＊＊

ドラッグ（向精神薬、快楽麻薬）はしばしば、無目的性の増大を手助けし、しばしばそのために吸引されてきた。「レッツ・ゲット・ロスト」はチェット・ベイカーを描いたドキュメンタリー映画だが、このタイトルは彼のロマンティック・バラードの代表作にちなんでおり、このフレーズは恋愛とドラッグの両方への頌歌《オード》となっている。自分を失う、抑圧を解く、心を失う…薬草や真菌、医療薬など、様々な種類のドラッグが、「自分を失いたい」という欲望をそそのかしてきた。私たちが最初に失うのは、日常での関心だったり、私たちを辛い労働につなぎとめる恐怖や欲望だったりする。私たちは仕事からの帰り、あるいはその後で外出し、酒を飲んだりする。あるいは電子タバコを吸う。飲んだり吸ったりしてリラックスする。踏み車《トレッドミル》から降りることができる。あるいは酒や電子タバコやコーラで、リラックスするよりもスピードを上げて日常を失うという方法もある。あるいはオピオイドで意識を失う。私たちの知る限り、これらの欲求がなくなったことはなく、その目的のために収集・調整・設計された物質の助けを借りていた。

＊＊＊

ある種の幻覚剤は、シナプズ領域の抑制を行っている化学物質を乱すことで機能すると、科学者たちは考えてきた。その結果、通常の防護が働かず、ニューロンがよりランダムに発火する。イメージ、思考、知覚、記憶が理由や統制なく現れる。幻覚剤は（大衆メディアが喧伝したように）脳を化学的に変えるのではなく、心的プロセスを駆動することで精神的なリラックスを最大化するのだ。チューリヒにある「精神医学大学病院」のカトリン・プレラーによる最近の研究では、幻覚剤経験にとってより重要なのは、ドラッグが視床の抑制フィルター（私たちにとって環境の中で重要な情報とそうでない情報とを見分ける）をリラックスさせる能力だとしている。思考および知覚の要をリラックスさせるのだ。視床は文字通り、知覚への扉を開く（オルダス・ハクスリーのサイケデリックについての本のタイトルにもなっている）。過負荷にならないよう通常は機能している安全弁《セーフガード》を解除し、より多くの情報が直接に脳へと流れ込む。意識を司る脳の主要部が機能不全に陥る。これが私たちの定義に新たな層を与える。無目的であることは抑制を回避することだ。止まれという警告サインや警察を回避することだけでなく、調整や規制を制約を回避し、方向付けを捨てることだ。

＊＊＊

コカインは、ニーチェが怠惰の例として挙げた活動に、完璧に当てはまる。行動や言葉が速くなり、多数のアイディアが生まれ、多動となる。そして無目的となり、最終的にはほとんど何も得られない。

＊＊＊

「ワインは意志を高揚させるが、ハシッシはそれを破壊する」と、シャルル・ボードレールは書いた。「一方は勤勉さの友で、他方は本質的に怠け者だ。ワインは有用で、実り多い結果を生む。ハシッシは役立たずで危険だ」。

＊＊＊

私は今何をしているのだろうか？　本書で達成しようとしていることは正確には何だろうか？本書はランダムで矛盾するような思想やコメント、逸話を、無秩序に集めたものである。私が正確に何をしようとしているのか知らないというのは、全くの見せかけだろうか？　時に私は、無目的性という考えに対して絶望する。その通りではないか！　私はもやもやと失望を感じている。無目的に陥っている。

こうした感情は何度でもぶりかえす。エッセイ風フラクタルにおいて繰り返される曲線である。そして、手法としての無目的性におけるもう一つの裏側を指し示している。

私は職業生活において、部局の予算や、雑誌の資金調達や、委員会への報告や、テニュア審査や、論文の査読といった仕事を抱えている。そこにどのような心配があるとしても、それは単純なものだ。これらはなされるべき職務であり。私はそのやり方を知っている。これまで何度も行っているから、次もできるだろうと思う。スキルを要するが、スキルを行使するのは楽しみでもある。

こうした職務が恐れを感じさせない時もある。単純なコード間違いや打ち間違いを直すウェブサイトの修正、会計処理、引用のやり方を通常の形式に直すこと、こうした仕事は楽しくやれる。迷いもなく、驚きもなく、不安もない。仕事の一部、曖昧さのない労働であり、その日常性および容易さから、するとリラックスできる。達成感はあり、犠牲になるのは時間だけである。

しかしつらい仕事もある。つらい仕事は、曖昧さが多重になっており、結果も定まっておらず、私にはないかもしれない知識や技能を要し、その仕事の落とし穴で私は茫然とするかもしれない。こうした仕事は私に不安や苦悩をもたらすことになる。そうに違いない。うまく行かないのではないかと心配する。結果として損害をもたらすかもしれない。そうした時私はすぐさま居心地悪さを感じる。十分な可能性や期待が見出せず、不快の中で道に迷う。心に溢れるのは恐れや疑いだ。

こうした場合の「無目的性」はどのような種類の手法だろうか？　無目的性はどこで私をとらえ、何を成し遂げられるのだろうか？　それはしばしば、何の役にも立たないように見える。そうした仕事に必要なのは、直接の努力であり、自己規制であり、やりとげる集中力であるだろう。さらに事前に述べられた明確な方法（技術的言語、特有の手続き、その後の指示）を要する。無目的性はしばしば、事態をさらに悪くする。

＊＊＊

自分を疑うことは、無目的性の影の部分であり。希望や自由、休息のない無目的性と言える。私たちが「無目的性」を終わらせたいと思っているという事実を露見させる。

＊＊＊

「これがニヒリズムの究極の形態である。虚無（無目的性）が永遠である」、とニーチェは言う。

右の免責条項を参照のこと。

無目的性と文学３　小説

文学的な小説と、文学ではない小説との違いは何だろうか？　例えば「空港（で読むような）小説」といった言い方があるが、これはあからさまに形式に従い、あまりにも容易に「小説」の書き方に従っているものを指す。「ジャンル小説」は一般的な書き方に従っている。探偵や、エイリアンや、上半身裸の准男爵が登場し、プロットでは謎多き殺人事件や未発見の惑星や、報われない愛（最後には報われる）が描かれる。しかしこうした一般的な分析は、「文学性」を理解するのには良い方法ではない。多数の文学的な小説も、同じような型に従っているのである。それが意識的、パロディ的、あるいは仮初《かりそめ》のものであるにせよ。

「ジャンル小説」はそれでも、ある使命に従っているように見える。ジャンル小説は、冒頭から解決まで、程度の差はあれ必然と思われる道筋を通っていく。しかし文学的な小説はそうではなく、あてどなくさまよう。小説『トリストラム・シャンディ』は、騒々しい書き方の形式の確立に寄与した作品だが、その有名な冒頭部分はこの点を明確にしている。

もしも歴史家というものが、ちょうど騾馬《らば》追いが騾馬を追ってゆくように、一直線に、まっすぐに、――たとえばローマからはるばるロレットーまで――、右にも左にも一度も顔を横にむけることなく――自分の歴史を追ってゆくことのできるものなら、それならば読者にむかって、旅路の終りにはいつ頃に着くと、まず一時間以内の誤差で予言しておくことも可能でしょう。――しかし実際はこれは不可能なことです。なぜかといいますと、その人が多少とも気概のある男である限り、進むにつれて出あうあの人この人と、直線路から何十回となくわきにそれるのを、どうしても避けられないからです。また人には出あわずとも、絶えず目をひく眺めやら景色やらがあって、それを立ちどまって眺めないわけにはゆきません。それだけではない、ほかにもさまざまな

記事の辻つまを合わせる、
逸話を拾いあげる、
碑銘を判読する
物語を織りこむ、
伝説をふるいわける、
人物を訪問する、

礼賛の辞をこちらの扉に、
落首をあちらの扉にはりつける――等々の仕事があります。こういう類は驟馬追いのほうなら全然しなくてよいことです。つづめて申せば、どこの宿駅にも調べる必要のある古文書があり、それから巻物類、記録類、文書類、数限りない系図類、仕事に忠ならんとすればのべつ立ち戻っては逗留して読まねばなりません。――要するにきりがないのです。
(朱牟田夏雄訳、岩波文庫版『トリストラム・シャンディ』(上) pp.93-94.)

エッセイや詩と同じように小説も、その語りの線形性や前進性にもかかわらず、結局のところは「無目的性」のジャンルである。私たちは地平線を映し出し、そこに向かって進むが、しかし、逸脱あり、予想あり、説明あり、逸話あり、碑文あり、物語あり、伝統あり、登場人物あり、賛辞あり、風刺あり…。

***

文学は全体として無目的である。私はかつて、文学の主要な罪は教訓主義だと論じたが、実際にそうだと思う。社会主義リアリズムの問題点は、それが「社会主義」「リアリスト」であるところではなく、それが意識的に、目的を持って、「教訓主義」であるところだ。ニュークリティシズムが熱心に分析したように、文学はその形態や味わいにおいて、多義性を愛している。「この一節」「このフレーズ」「この出来事」「この詞」の目的を厳密に問うた場合も、同様のプロセスが始まる。目的が特定されたとしても、作者のことは措いてさらに考えるならば、目的は次々と新しいものが現れて、終わらない。それらは互いに矛盾していたり、転移したりする。詩的な線が読みの「有糸分裂」によって、二本になり、四本になる。線は元の場所にとどまることなくさまよい、読者を行きつ戻りつさせたり、押し戻したりし、方向を失わせる。この小説の文章は、元にとどまることなく、章ごとにさまよい、あてもなく放浪するが、同時に乱雑で交響楽的な意味を作り出すのである。

＊＊＊

「ラジオラボ」（ニューヨークの非営利ラジオ局ＷＹＮＣによるラジオ番組）は二〇一三年に、ボブ・ミルンという男についての番組を放送した。ミルンは複雑なラグタイム（シンコペーションが特徴の音楽ジャンル）作品を演奏する特異な能力を持ち、演奏しながら聴衆と話したり、複雑な会話を行うこともできた。左手と右手で、リズムもキーも全く違う別々の曲を演奏しながら話をすることさえできたことも判明した。言い換えると、彼はマルチトラックの心を持ち、同時に複数の複雑な事柄をこなすことができたのだ。この能力は神経科学者の注目を惹き、カースティン・ベターマンがミルンで実験を行った。分かったのは、ミルンはあたかも脳にレコーディングするかのように、交響曲の全パートを聞き取ることができたということだ。ベターマンはミルンをテストし、一緒に歌い、異なるパートを彼女は防音室で聴いた。ミルンは音楽のある所では常に、その音楽の特質を見抜いていた。これはさして異常なことではない。ベターマンは有名な指揮者についてもテストをしており、ミルンと同じではないけれど、その指揮者もやはり各時点において、頭の中でシンフォニーの全部を問題なく聞き取っていた。

ベターマンは彼らに、二つの交響曲を同時に頭の中で響かせるという実験を行った。指揮者の場合にはすぐに、一方だけしか聞けなくなった。しかしミルンは問題なく、二つの交響曲の中にいた。二つの曲は、キーもテンポも様式も異なっているが、大丈夫だった。もっと複雑なテストをベターマンは行った。同時に四曲の交響曲をミルンに聴かせたのだ。しかしミルンはほぼ完璧に、その四曲を聴き取ったのである。さらに驚くべきことに、ミルンは「中立的な記録装置」というだけではなく、頭の中だけで曲のキーを変えることもできた。キーをE♭からDやFに変えて、全曲を新たなキーで再構成できたのである。また、オーケストラ中の異なった楽器や異なった場所の、ボリュームを上げたり下げたりもできたのだ。

そう、私が最も魅了されたのがここである。ミルンは演奏中の（一つだけではなく、すぐ近くに配置した二つのあるいは四つの）オーケストラを「視覚化」し、あたかも彼らのすぐ上で「ホバリング」しているかのように、聞いているオーケストラの周囲をさまよう。もしチェロの上でホバリングをしているなら、その音が大きく聞こえ、ファゴットの上ではそのレコードを聴いている誰よりも高音質でその音を聴くことができる。実際、ミルンはオーケストラの残りの音を「黙らせて」、ある一人の音楽家が演奏している楽器の音だけを取り出して聴くことができるのだ。

＊＊＊

読書をしている時の脳も、ボブ・ミルンによる音楽聴取と多少は似ているところがあるように思える。ミハエル・バフチンは小説の交響楽的な性質について書いているが、その中で、一人の作家が多数の異なった方法で語り、別の種類の語りの性質やスタイルを操ることができるとしている。サブカルチャー的な言葉遣い、地方の方言、異なった専門的な言語（法的な言語、学問上のジャーゴン、ビジネスマンの話し方、マーケティングの隠語など）を、層にし、作曲家が交響楽を編曲するように編成する。私たちは、作家の文学的なスキルは言葉を次々に紡ぎだすことがと考えがちだが、バフチンはそうではなく実際のスキルは「ソシオレクツ」（集団言語）を操り、私たちが聴く音楽のような「多音性《ポリフォニー》」を言葉で作る（バフチンの言葉では「ヘテログロシア」）ことだというのだ。

　別の言い方をすると、私たちが小説を読む時そのテーマが何だとしても（例えば犯人当て推理小説《フーダニット》であっても）、私たちはボブ・ミルンのように、クラリネット、ティンパニなど他のところに焦点を当てることができる。作家が編成するが、読者はその場で再編成するのだ。読書は、多数の異なった編成を同時に聴くことに似ている。プロットの瞬間の編成、登場人物とそのアーク（精神面での変化）の編成、登場人物が話している言葉の編成、語り手の見通しの編成、比喩表現のパターンやテーマの編成。最も素晴らしい読書経験においては、ボブ・ミルンの場合がそうであったように、私たちは小説をレコードのように演奏しているのではない。私たちは小説の上をホバリングし、この登場人物やあの登場人物、この出来事やあの出来事、このフレーズやあのフレーズに焦点を当てる。作者の予定ではなく、読者の予定に従って読む。こうした異なった部分から作られた私たちの感覚は、私たちの心の中でテクストが複雑に変形した多様だが一貫した存在になるにつれて消え、独立した自由に浮遊する、すべてのオーケストラが同時に演奏する状態となる。私たちはマルチトラックの心を持っているのだ。そして大部分の時間、私たちの関心はどこかしら無目的なものである。私たちは専門の観点から読書することができる。例えば、エッセイの中で反証可能な部分や抜け穴を探すなど。「なぜここでオブロモフに言及していないのだろう…なぜフリージャズに、なぜ『ラスベガスから学ぶこと』に、『アルファベット的アフリカ』に、日本のメタボリズムに、言及していないのだろう…」。

しかし時に私たちは、さらなる場所へと迷い込み、こんなこと問う「彼はただかわいくなろうとしているだけなのか、それとも真剣なのか？　彼が詩で表そうとしている中心は何だろう？　同じところではないのだろうか？」。さらには、より無目的にこんなことを思うのだ。「ジャッキー・

チェンの『酔拳』をもう一回見ることがあるだろうか…多分ないな…」

無目的性と旅2　悪い道

最も旅行に使われることがない道を行くと決めることは、英雄の選択ではないし、倫理的な選択でももちろんない。実践的な決め方なのである。一番迷子になりやすいし、予期しないものと出会う確率が最も高くなるからだ。「良い道」は、あなたを正確に、予期した通りのところへ連れて行ってくれるだろう。良い道は良いサインである。マルティン・ブーバーは、「すべての旅には、旅行者が気付いていない、秘密の目的地がある」と書いている。私の考えでは、標識の多い高速道路（そしてもちろん、ガイド付きのツアーや、厳格に決めた旅程や、その他人々が旅行を管理するために行っているもろもろ）は、この「真の目的地」を遠ざける。旅行者が通らない道は、時間はかかるかもしれないし、快適でもないかもしれないし、迷うこともあるだろう。行けるところまで進んでも、何も待っていないように見える。ガイドブックには記述がない、「バケツ・リスト」（死ぬまでにやりたいことリスト）にあるようなモニュメントや、素晴らしい眺望や、有名な遺跡や、完璧な海水浴場も、あるのはどこか別の場所である。旅先に選ばれることが少ないのは、わざわざそこへ旅行する理由がないからだ。しかし、ブーバーの言う「目的地」を求める旅人にとって、例えばローマからロレットへまっすぐ、寄り道せずに行くことには意味がない。秘密の目的地が旅人の到来を待っているという前提であれば、「悪い道」を行くのが最も望ましい。

＊＊＊

悪い道の中には、途中で立ち消えになって終わってしまうものもある。アゼルバイジャンの幹線道路は東西に走っているのだが、私は北のジョージア国境付近までドライブした時に、地図上で近道を見つけた。国の南側を横断して首都に戻る道は取りたくなかった。地図上では、ギョイチャイの南にまっすぐ向かう道があるので、そこからハイウェイに乗ろうと考えた。これはどう見ても時間の節約にはならない。地図の凡例を見る限りバクーを通る道ならば快適に舗装されているが、近道の方は曲がりくねった砂利道で、点線で表されている部分は未舗装道《ダート》だと考えられた。

五時間たっぷり、あまり使われていない、雨で傷んでいる未整備の悪路を走り、アストラナヴォカ・カンディという名前の小さな村にたどりついた。ここが私にとっての「秘密の目的地」となった。ギョイチャイへ向かう道を探したが、どうも消えてしまったようだった。そこでその午後は、言葉の通じない人々との社交の場となった。私は馬追いや羊飼い、村の敵対者や賢人、古いスターリン像（その地域に最後に残った一つ）などからなる新しい世界へと投げ入れられた。スターリン像は、町外れの二本の松の木の間で静かに、しかし不吉に立っていた。「悪い道」は、この茶色と灰色の世界、馬が活躍している忘れられた桃源郷につながる唯一の道であり、当然出る道もこれしかなかった。私をさらに南へ向かうことを可能にしたであろう橋は、数年前の洪水で流されてしまっていた。私は先へ進むことをやめ、気持ちを立て直し、引き返すしかなかった。来た時と同じでこぼこ道を北へ五時間かけて引き返し、良い道に戻った。元は十字路だった村の人々を、私は写真に撮ったので、時にそのポートレートを見返すことがある。背骨を傷めた上に、目的地には着けないという旅程だったが、私はアストラナヴォカ・カンディの人々との思い出に圧倒されている。この秘密の場所は、グーグルマップに載っていないだけでなく、他のオンライン地図にも記載がないのだ。

＊＊＊

その日は「無目的性」の成果だったのだろうか？　私はむしろ、幻の橋を渡ってまっすぐに南へ向かいたいと思っていた。私の地図には載っていないこの場所への道を選んだという決定は、自発的なものでも、動機がないことでもない。しかし「悪い道」には、「無目的の身ぶり」という偶然性が潜んでいる。イーサン・ザッカーマンが「セレンディピティ・エンジン」と呼ぶものだ。これには意味がある。その道が悪路なのは、手入れされていないからであり、その国の他の道のように改良されていないからである。もっと正確に言えば、手入れや改良が不足していたからではなく、橋が流されたためだ。そのためもはやどこへも行けなくなってしまったのだ。しかしその道は、道路の価値は経済的有用性ではないことを示している。この場合は、経済的な失敗が、文化的な成功である。資本主義が利益を失うと、人間が中心となる。

私は「悪い道」に浸かる人である。悪い道をどこにも見つけることができる。ロバート・フロストの語り手のように、私は反射的に、直観で、習慣的に、旅行者が少ない方を選ぶ。私には分析は必要ないし、地図さえ要らない。私はただ、無意識に選択を行う自分自身を見つめるだけである。脇道が常に手招きをしている。

そのような方針を決めようとしたこともある。南インドを旅行していた時、私は、今通っている道よりも細い道を見つけたら、そちらに行くことに決めた。その地域で最も立派なハイウェイは二車線の舗装道路だが穴ぼこだらけ、歩く人、立っている人、走る子供、ヤギ、鶏、牝牛、三輪タクシー、自転車、ハンドカート、牛が引く農用ワゴンで溢れており、乗用車やトラックもいたが少なかった。一車線の道とぶつかったので、左に曲がった。その道は農場の中を二マイルほど進んだ。舗装はところどころ、人、自動車、動物とも通っていたが、先程の道よりは少なかった。その後、砂利道と出会い左に、さらには未舗装道と出会い右に曲がった。草の間に二本のタイヤの跡だけがついていた。やがて小さな村の門に突き当たった。車を停めて、私を見つけた人々と話をした。彼らは私の小型レンタカーを見て興奮し、浮かれているようだった。とりわけ、私が商用ではなく、タミル語やテルグ語やカンナダ語を話せないと知って、興奮していた。茅葺屋根で、未舗装道の果ての村に旅行客が来たのは、彼らの思い出を集めても初めてのことだった。今その場にある自動車は私のだけ、人もバイクも少なく、ドライバーたちは驚いて二度見をし誰が危険人物かを見極めるために止まる。私は何枚か写真を撮った（この経験は、誰もがケータイで写真を撮る以前の一〇年くらい前のことで、彼らの姿をデジカメで見るのは楽しかった）。私たちは心と心で完璧に通じ合った。私と六人ほどの村人たちは、予期せぬ一時間の間に分かりあえたという偶然の幸運について話し合った。私たちに与えた影響はそれぞれ違っているだろうが、少なくとも私にとってはすごいことだった。英語を話せる者がほとんどいなかったのだから。

タイ南部でも同じように、分かれ道で必ず細い方の道へ行き、仏教の地獄を描いた巨大な張り子像のある僧院へと辿り着いた。地獄では巨大なコルク抜きで内臓を抜かれ、逆さ吊りにされ、だんびらで首を切られ、腕が肩から引っ張られ、二・五メートルもある二匹のオオトカゲによって監視されている。僧院への道は丘をのぼり、まさに未舗装道だった。そしてどんなガイドブックにも載っていなかった。私が行った数年後には「発見」され、今ではガイドブックや地図に載っていて、道もかなりよくなった。「地獄の苑」はかつてと変わっていないが、道は良くなった。この事例は論理的には、私の「悪い道」理論に反するかもしれない。良い道でも、同じ場所に行き着くのである。

私は最近、モロッコのあるオアシスの衛星地図を見た。そこはアルジェリアの国境近くで、何年も前に訪れた場所だが、同じことが起きていた。私が行った時には、八〇キロほどオフロードを走って訪れた。今では二車線の舗装道路が通じており、私の秘密の場所ではなくなっている。土間にコーラ瓶に入れたロウソクがあるだけの小さなオアシスは、今のその場所とは違うところだと私は考えたい。そうすれば、たとえその場所が消滅したとしても、私の秘密は守られるから。

無目的性と死

サラマン・ラシュディの『キホーテ』では、この英雄の従兄弟が長く雇った彼を解雇し、その後で自分のしたことを心配し始める。「彼は最悪の事態を恐れた。彼はキホーテを解き放ってしまったのだ。もはや若くないキホーテは、ある種の狂気を悪化させ、不可能な愛を夢見て、無目的にいずこからいずこへと放浪するに違いない」。

そして従兄弟は、どこかの名もないモーテルで、キホーテの遺体を回収することになるのだろうとまで思い込むのである。

死に向かう無目的性。これは無目的性がまとう悪名である。明確な目標や手続きなしでは、私たちは自分を支えることができず、自分自身を生かしておくことさえできないのではないかという恐れがあるのだ。

＊＊＊

『キホーテ』の場合、従兄弟は心配する必要などなかった。キホーテは常に未知のものを探し求める男である。他の登場人物が呟いているように、「人生という形のないものに型を押し付ける」人間の一人なのだ。そのため、世界の不条理に悩むことがない。キホーテは死なない。いかに世界が無目的に見えても、彼はそうではないから。彼の抱く「目的」が、彼を生かしている。

　他方、キホーテの探求、実存に形を与えたい欲求は、騙られたものでもある。彼の名前の由来である「ドン・キホーテ」の場合と同様に。

＊＊＊

公理：死が生に意味を与える。死は究極の〔読者が抱く〕「期待の地平」である。

地平線と同じように、死は決して姿を現さない。私たちは死に追い着くことはない。死ぬのはいつも他人であり、私たちは死なない。もちろん、いずれ死ぬということは分かっているが、他の人が死ぬのを見るように自分の死を経験することはできない。死の接近を感じるかもしれないが、死ぬ瞬間、システムはシャットダウンするので、自分では死そのものを感じられないのだ。心臓が止まり、肺が呼吸を止め、血液が流れなくなり、視覚や触覚を感じられなくなっても、意識が残ったとしたらそれはとても奇妙だろう。

　したがって自分の死は、今もこれからも、想像上のものにとどまる。死に向かって突進しようと、ぐずぐずと死に近づこうと、死から逃れようと泣き喚こうと、変わりはない。死が私たちに到来することはない。死が到来するのは他人にである。見知らぬ人かもしれないし、愛する人かもしれない。しかし、私たち自身には死はやってこないのだ。

＊＊＊

私も自分の死を想像したことはある。頻繁にではないし、熱心にでもない。それこそ漫然とである。なぜたまに死について思うのか、よくわからない。ふと思い浮かぶのだ。意図的に死について考えることはめったにない。先日私は、子供の頃の友達とのことを思い出した。私たちはよく、町で一番高い教会の屋根に上った。もちろん目的はない。理由なくそうしたのだ。なぜ子供は高いところに上るのか？　子供はジャングルジムや木登りが好きだ。じゃあ教会は？　私たちにとってそれは、エベレストのように、「次の山」としてそこにあったのだ。スレートの屋根は急斜面で、身廊《ネイブ》の交差するところでは銅の隙間を少しずつ上らなければならず、スレートのタイルの両側を掴んだ。たまに私が手をかけている一枚が壊れることがあった。もし二枚一遍に壊れたら、私は滑り落ちたろう。もし落ちても命くらいは助かると私は思っていたが、実際には助からない可能性も大きかった。なにせ高かったのだ。

＊＊＊

また、若い頃、運転中にコントロールを失い、ハイウェイを飛び出したり、笑いながらドーナツターンしたり、時には何かにぶつかったりしたこともあった。こうした瞬間を今にして振り返ると、私を死から隔てていたものは、スレート一枚のように薄く、道端に落ちる葉のようにランダムだった。時に過去を映画のように振り返ると、私の叩き潰された身体が「もう一つの過去」として思い浮かぶ。しかし当時は大量のアドレナリンが出ていて、その意味を十分には理解していなかった。新たな考えがそれに取って代わり、空想の流れは方向を変えた。別の形の白昼夢と同じように、クライマックスで違う考えが侵入してくる。例えば締切の過ぎた雑用や、トイレや、実際の死（私のではない）や、隣の部屋の音など。

＊＊＊

パスカル「私たちの本性は、動きの中にある。完全な静寂は死だ」

＊＊＊

別の公理：死は生を無意味にする。人生は不愉快で、そして死ぬ。シオランが書いているように、「愚者だけがそこに重要なことがあると考えるだろう」。私たちが生命に見出す「意味」は、死によって無意味になる。快楽主義者は生命に快楽を見出すだろうが、その快楽は死によって終わる。

倫理的な人は世界に善を成すことを意味があると考えるだろうが、これも死によって終わる。価値や意味をどこに見出そうとも、死はそれを帳消しにする。死は最大の「取り消し屋」である。死はあらゆる目的を、ゴミへと還元する。

死は無目的性を主張する。

＊＊＊

そして同時に、死は最大の動機付け要因でもある。二〇歳の人は「やるべきことリスト」はあっても、「死ぬまでにやらなくてはならないことリスト」は持たない。年を取るにつれて、過去について考えることが増える。統計データからすると、私の人生の残り時間は二〇年くらいだが、訪れたい国は百か国以上、書きたい本は一〇冊以上ある。動き出す方が良いだろう。

他の人もそうだろうが、私も時間が足りないと感じている。

実際、急いで仕事にかかる方が良いのだろう。

無目的性と生命2　親密性

進化生物学においては、愛は行きずりのものだ。オスは自らの種をまきちらす。多くの恋愛物語でもそうである。愛は本質的に、行きずりのものに成り得る。人々はあちらこちら動き、魔法のように、なんと！　そのうちの二人が恋に落ちる。愛は運命であると私たちが装っている（恋愛に巻き込まれている人は本気で信じているかもしれない）時でさえも、探求に予め定められた明確な目的がある（キホーテのように）時でさえも、私たちはそれ以上のことを知っている、そうでしょう？　私たちは、いかに親密さが偶然に生じるかを知っている。そしてそれが短時間で起きることも。魅力的な誰かを見つけることは、星の巡りではない。恋に落ちることは運命ではない。好みを持つことは、計画を立てることとは違う。

＊＊＊

オウィディウスなら同意するだろうが、好みが無計画で叶うことはない。『恋の技法《アルス・アマトリア》』の中で彼は、欲望の対象者にワインを飲ませて誘い、召使いを抱き込んで、欺き、隠密、約束、称賛、嘘泣き、嘘を使うことを提案している。天使は二枚の羽で世界を飛び回り、とどまることがない、とオウィディウスは言う。恋愛に法を押し付けることは困難だが、やらねばならない。もし君がお金持ちならば、恋愛は向こうからやって来るだろう。そうでなければ？「愛はある種の戦争になる。臆病者は去れ」というのがオウィディウスの考えだ。

もし経験がなくても小説や映画からわかるように、恋愛という戦いは、勝つとは限らない。策略や包囲、誘惑は、大失敗に終わることもある。計略や下心がいかに恋愛を脱線させるのか？その道筋を考えてみよう。

「広く認められている真実だが、十分な財産を持った独身男は、妻を欲しがるものである」（『高慢と偏見』）。これは文学史の中で最も有名な書き出しの一つだろう。この小説や、その他何千もの結婚物語のプロットにおいて、策略や陰謀を使う女性は泣きを見、下心なしに恋愛に身を任せる女性が勝つことになる。『歓楽の家』でイーディス・ウォートンもそうした悲劇の一つを描いている。ヒロインのリリー・バートは、結婚市場で自らの価値や可能性を最大化するために罠を仕掛けるが、それは彼女が築こうとしていた親密性を排除することにつながり、ウォートンはその罰としてバートを貧しく、孤独のうちに死を迎えさせている。ジェーン・オースティンによる最初の一文は皮肉である。「十分な財産を持った独身男は、妻を欲しがるものである」というのは広く認められた真実ではなかったからだ。もしそうならば彼女は『高慢と偏見』をこの言葉で始めなかっただろう。

オースティンの時代から、「結婚市場」を拒む恋愛小説はほとんどない。各人がその中でそれぞれのユニークな結びつきを祝うとしてもである。私たちは、「お見合いによる（断れない）結婚」「婚資によって買われた結婚」「男をたらしこんで収入を得る女」といったものを恐れるが、おびただしい数の小説にこうしたものが出てくる。

漫画でも、策を弄する者は、愛の自然さを信じている理想家に敗北する。親密性は要求したり操作したりできるものではなく、自然に発生するというのが理想家の考えである。皮肉屋が、「恋愛の九〇％は類似性、一〇％は動物の本能」などと言っても、映画で最後に勝つのは理想家なのである。ナンパ師が「獲物」の一人を好きになり、自分の仕掛けた罠に自分が落ちて、それまでの邪悪なやり方を捨てる。財産狙いの人が、欲深くない人や、よりゴージャスだけれどはるかに真面目で「本物」の男女に、負けるのだ。勝つのは常に誠実な人間である。嘘つきが愛を得るには、誠実さを学ばなくてはならない。誠実な人間は術策を弄しない。ただ無目的に、愛の到来を待っているだけである。

シェイクスピアももちろん、策略が裏目に出ることを知っている。『十二夜』で、侯爵は少年（実際には男装したヴァイオラ）に、オリヴィア伯爵令嬢への手紙を託すが、オリヴィア伯爵令嬢も侯爵もともに、男装したヴァイオラに惚れてしまう。術策は吹き飛び、「乱数」が発生し、恋の矢は目標を外れて多方面に欲望が噴出する。

＊＊＊

恋愛について書くことは、盲目的に「決まり文句工場」に躓くことだ。もし何かを愛しているなら、自由にしてあげなさい。愛に言うことはない…愛は忍耐。愛は思いやり。愛は私たちを一つにする。愛で道が開ける。悲観的なものもある。あらゆる間違った場所で愛を探す。もう恋なんてしない。愛は傷つける。

こうした決まり文句の中で、運命という概念（「私たちは一緒になる定めだった」）が、大衆文化の中を疫病のように駆け抜けている。二人の人間が生まれて一緒になるように運命付けられていたというバカげた考え、そう、全くの偶然で、他でもないこの二人が、世界のあらゆる人間の中で、真の恋人となるように運命付けられていたというのは、まあありそうもない。ソクラテスが言ったように、彼らは一つの魂が二つに分かれたもので、お互いを探し当てることで完全になれる、というわけである。何度も何度も、二人はたまたま同じ言葉を話し、同じ国におり、ひいては同じ町に住んでいる。愛はそうした場合よりも偶然に起こることが多いと、頭で分かっていても関係ない。何百万人もの人が毎日誰かと恋に落ちるという単純な事実が証拠になっている。私たちが一生の間に六人の人と恋に落ちる（あるいは三人かもしれないし、六〇人かもしれないが）というだけでも証拠になる。天使は狙い定めて矢を放つが、地球規模で見ると愛はそうではない。ある人間は、特定の人を欲望するが、かなりの量の無目的性がその瞬間に先行しており、常に、さらに、かなりの量はその瞬間の後から起きる。恋愛の歴史の中では、天使の矢が標的を外れ、無関係の人に刺さったという例で溢れている。

＊＊＊

私たちは今では、魂の片割れを見つけるために、テクノロジーを使う。その中には「オーケーキューピッド」（出会い系SNS）も含まれている。また、いかに対象に目標を定めるかについては、多数のアドバイスがある。しかし、恋愛上でのカップリングは、一八世紀や一九世紀の小説であるような、例えば政治上での同盟構築や、資本主義的な富の増進のための策謀といった、実利的なものではないだろう。恋の駆け引きを扱うロマンティック・コメディやリアリティショーは依然として存在するが、愛を見つけるためには一貫した計画や、詳細な予算配分や、現状の徹底的な分析や、物資調達のロジスティックスの確認、競争優位や問題点を研究するためのコンサルタントの雇用、キャンペーンのための適切なシードファンディングが重要であるといった言説は、普通は聞かない。やはり私たちは、何らかのセレンディピティを前提としている。

＊＊＊

いかなる場合でも欲望は、ラカン派の言う「不充足性」や生物の基本的な必要性を問わず、「広い範囲への拡散」を保障し、少年が少女と、少女が少女と、カップルが少年と、その他さまざまな可能性があるが、出会うことを確実にする。マックス・シャルマンの短編小説集『僕はティーンエイジャーの小人だった』（一九五九）の中の一作では、ゼルダ・ギルロイがドビー・ギリスに、科学が予言したからあなたを愛すると話す。この短編のタイトルは「愛は科学だ」。さらに、二人が過ごした時間は、結婚を決めた人々が一緒に過ごした時間と等しい、とデータを見せて説明する。ゼルダはドミーの愛を獲得するが、それは科学的理由ではない。ゼルダが率直で、表裏がない人格だからだ。親近感に関する科学的な見方は間違っているが、ロマンスの公式の手助けを得て、それが実現してしまったのだ。ゼルダの言葉は、『ダイヤモンドは永遠に』の中でジェームズ・ボンドが探りを入れる意味で語った「近くにいるのが一番だ」の現代版である。これは無差別に作用し、欲望の無目的な性質を示している。「近くにいる者が成功する」という統計的法則の原因であり結果である。

（ドビーの風変りな友人のメイナード・G・クレブスはもちろん、大衆文化の中で最も無目的なキャラクターの一人。シャルマンの小説が「ドビー・ギリス」のタイトルでテレビドラマ化されると、最初にプライムタイムで放送されたビートニクとなった。テレビでのメイナードは、欲望を持っていないように見えた）。

愛の無目的性に関して最も美しいことは、もちろん、この地球上で何億人もの人々が活動しているので、偶然に誰かと親密になるために大変な努力が必要というわけではないということだ。驚くほどの多様性の中で、恋は開花するのを待っている。もう一度言うが、無目的性は、成功への意図的でない道なのである。

＊＊＊

ただもちろんその裏面もある。オウィディウスなら言うだろうが、無目的性は同時に、意図せず失敗へと通じる道でもある。

無目的性と方法《メソッド》2
ガートルード・スタイン、ジャン・ツヴィッキー、老子

　長い文筆生活で学んだことの一つに、書きたいと思ったことはみな、ガートルード・スタインの作品の中にあてはまるものが見つかる、ということがある。何らかの興味あるものが見つかるのだ。私が本で、さらには論文で書いたことさえ、スタインは既に提示していた。

　これはおそらく、驚くようなことではない。私と同じようにスタインも、百科全書的なところがある。『やさしい釦』はコラージュ詩の気味があるが、終わりなきカタログである。『アメリカ人の成り立ち』は、世界のあらゆる人を提示しようとした百科全書的なプロジェクトと言える。一九二〇年代半ばにスタインは、講演「アメリカ人の成り立ちの段階的な成り立ち」で、彼女自身の方法を（「アメリカ人の成り立ち」でも書いているから二度目だが）語っている。「ウィリアム・ジェームズと共に仕事をしていた時、学んだことが一つある。それは、科学は物事の完全な記述を目指すのに忙しいということだ。あることの完全な記述を、そして究極的にはあらゆることの完全な記述を」。

これが、彼女が自分に課した仕事である。「あらゆる人を描き出すこと」。しかし、何千ページかを費やし、それができると分かったところで、興味を失ったと彼女は言う。

もしあらゆる物事の完全な記述が本当に可能なら、そのとき、他に何をすることがあるのか？何も言うことはないかもしれないが、これによってあらゆる事柄が何物かであり続け、だからこそ、全時間を物事の描写に費やす人は比較的少なく、その彼らも途中で止める。というのも、他の誰かがそれを始めたり続けたりできるので。その意味で、描写は実際には終わることがない。『アメリカ人の成り立ち』を始めたとき私は、完全な記述が可能であるということを本当に分かっていたし、それは実際に可能であった。しかし、それが可能であるからこそ、あらゆることの描写を、人は中途で止めるのだ。ここから哲学が始まる。哲学は、人があらゆることの描写を止めた時に始まるのである。

＊＊＊

句読点を取り出せば、老子の『道徳経』が言っていることはガートルード・スタインと似ている。

師は何もすることなく行為し何も言うことなく教え物事が起こり現れた物を消して行かせ所有

せずに行為し事が終わった時も何も期待せずに忘れる。だからこそ永遠に続く〔原文の書き下しは以下の通り。是を以って聖人は、無為の事に処《お》り、不言の教えを行う。万物作《おこ》りて辞せず。生じて有せず、為して恃まず、功成りて居らず。それ唯だ居らず。是を以って去らず〕

しかし句読点があっても、やはり近いところはある。

お互いを生むのはこの存在と非在である。困難と容易とが互いを作り出す。「長いこと」と「短いこと」が互いを形作る。「高いこと」と「低いこと」がお互いの対称から生じる。音と声とが互いの関係を通じて調和する。前と後とが、一方が他方に従うという考えを生む〔原文の書き下しは以下の通り。故に有無相生じ、難易相成り、長短相形し、高下相傾き、音声相和し、前後相随《したが》う〕。

最も高いところは明るくなく、深淵は暗くない。終わることなく、名づけることもできず、無に還る。形のない形、像のない像、あらゆる理解を超えた微妙なもの〔原文の書き下しは以下の通り。其の上は皦《あきら》かならず、其の下は昧《くら》からず。縄縄として名づく可からず、無物に復帰す。是を無状の状、無物の象と謂う。是を忽恍と為す。之を迎うれども其の首を見ず。之に随えども其の後を見ず〕。

スタインは確かにそれ以上のことは書いていないが、言語からイデア、物事への関係付けとしては類似している。スタインおよび老子にとって、日常生活での事実のみが思索の対象であり、思索に全的な価値を置いてはいない。「描写自体は終わらない」「描写を終わらせることは可能」とスタインは書いている。語ることができることは永遠の「道《タオ》」ではないと、老子は語っている。「名づけられる名前は、永遠の名ではない」。

＊＊＊

私は『道徳経』に関して、二〇歳の時の深く、明確な、しかし間違った思い出を持っている。私は実家から千数百キロ離れたレストランで働いており、家に『道徳経』を持っている女性と恋に落ちていた。私はそれについて語る哲学を読んだことがなく、ジャック・ケルアックの小説中の仏教についてもほとんど知らなかった。彼女は私に、アラン・ワッツの『自然、男、女』を読ませた。これらは私に一撃を与えた。圧倒的に賢いと思った。また、こうした叡智を受け入れられるほど包容力のある頭脳を持った彼女にも惹かれた。理解できるものと理解できないものとを同時に理解するような広大な理解力。私自身は論理的に過ぎ、物事を道具として捉えすぎていると感じた（私は彼女に愛されたかったし、これらを全て理解して、私も彼女に何かを与えたかった）。ワッツや道教を読んで、私は彼女がこれらを知り、ビジョンや叡智を得ていると考え、彼女に恋したのだ。

その前、一九歳の頃の私は漂流者だった。当時のガールフレンドがヨーロッパに移ると、私も追って行き、一年間一緒に過ごした。まずはバンで暮らし、数か月間マサチューセッツに行き、さらに数か月間はフロリダで、そしてミッドウエストに行った。私は一八か月間、完全に放浪していた。老子にも、無目的性の要素と言える、漂流している感覚を表した箇所がある。


私は道を見失い、さまよい、行く場所もない。私は愚か者のようで、心は混沌としている。

普通の人々は明るいが、私だけは暗い。

普通の人々は賢いが、私だけは鈍い。

普通の人々は判断力があるが、私だけは混乱している。

私は大海の波の上を漂い、風に吹かれるがままである。

他の人々には目標があるが、私一人は鈍く、野暮である
〔原文の書き下しは以下の通り。俗人は昭昭たり。我は独り昏きが若し。俗人は察察たり。我は独り悶々たり。忽として海の若く、漂として止まる所無きが若し〕。


風に吹かれるままに、あてどなくさまよう。目標も目的もない。これが道《タオ》である。

＊＊＊

私は道《タオ》を教えてくれた女性を愛しただけではなく、「最高の善は水のようなもの、それは低い方へと流れる」という考え方も愛した。私は自分が、低いところを探し、いずれそこで果てるような気がしていた。それも恥じるようなことではなく、楽しんでいた。道《タオ》では、水は永遠ではないが、千のものに命を与える、としている。私が何か達成しなくても、私は無用の者ではないし、負け犬でもない。私は、自分は水である、タオイストであると考え始めた。

＊＊＊

ジャン・ツヴィッキーなら老子の『道徳経』を、叙情的哲学と呼ぶだろう。ツヴィッキー自身も老子と、問題を共有しているところがあると私は思う。ツヴィッキーの関心事は基本的に二つである。一つは、分析哲学へのオルタナティブ（彼は叙情的哲学と呼ぶ）の記述、もう一つは叙情的形式の記述である。「叙情的形式において、各細部は全体によって形作られ、多かれ少なかれ全体を表している。身ぶりがより叙情的であるほど、こうした情報は多くなる」と彼は書いており、「線形な議論」（叙情的でない哲学の中心にある議論、ツヴィッキーの言葉では「システマティックな論理言語的分析」）と違う特徴と見ているのはこの点である。そうした議論では、言明は積み重ねられ、その結果として結論にいたる。しかし叙情的形態では、議論は「ニュートン的時間」からの逸脱を許され、同時性や、部分と全体とが階梯的でなく多重に、独立した関係でいることが許される。この種の思考の中心にあるのは分析ではなく共鳴だとツヴィッキーは言い、ヘラクレイトスの「世界で最も美しい秩序は、無造作な積み重ねである」という部分を引用する。

もちろんドゥルーズやリオタールも時に同じような議論をしているし、そこまではよい。しかしツヴィッキーは、彼が「叡智」と呼ぶ何者かの代わりに「叙情的哲学」を据えたいようだ。完全で、言語以前の「非言語的な生態学」は、ラカンの言う「現実界」のように聞こえる。ツヴィッキーはこんな風に書いている。

存在するとは、物事の関係性であり、共鳴する生態学である…

「何か」とは、物事と、世界の共鳴構造との間の、生きたメタファー的な関係を意味する…

何かの意味を知ることは叡智である…

叙情的な意識は、存在の共鳴の中に自己を溶かし込むことを望む…

叙情的思考が、統一された言辞となるのは、言葉が「無言語性」の形に従う程度までである…

正直に言えば、こうしたツヴィッキーの言葉はすべて、私の好みからするとやや謎めいていて、形而上学的である。

しかしそれが、「描写されつつあるものは常に記述に還元はできない」という単純な考えを表しているのであれば、私はツヴィッキーに同意する。「迷い犬」(the stray dog) は単なる三つの単語ではない。「野良猫」(the feral cat) も同様である。

ツヴィッキーが「私が書く各文は、物事の全体を言おうとしている。例えば同じことを何度も言う。それは一つの物事を別の角度から見るように」というウィトゲンシュタインの言葉を引用するのは、分からないでもない。

叙情、あるいはコラージュや無目的性のこうした側面は、これまでも述べてきたように、肯定できる。

そしてこれは、スタインが千ページを費やした後で見つけたことでもある。ある物事を全て描写するとは、同じことを何度も何度も語ることであり、あらゆることを果てなき地平へと増殖させることである。「哲学がここから入ってくる。哲学は人があらゆることを描写し続けるのを止めるときに始まる」とスタインは言う。科学には目的があるが、哲学にはないというのである。

＊＊＊

私の読者の一人は、これが「パラタクシス」(並列法) だと示唆した。物語るのではなく不可的に、句や節を並べる技法である。メトニミー（換喩法）と同じように、文章において後置された構造が前置された構造に、置き換わる、あるいは、ほぼ置き換わるのである。各文は部分と全体を表しているが、その両方が次の文によって置き換えられ、その文もさらに次の文によって置き換えられる…こうした描写においては、「すべてはすべてである」とするより、「すべては何かであり、何かであり、何かであり」と続ける方がより正確である。スタインの言い方を借りるなら、「レトリックがここから入ってくる」のである。

無目的性と生命3　段階

怠け者について書いた私の著作（『働かない 「怠けもの」と呼ばれた人たち』）の中で私は、「何もしない」という状態はエリク・エリクソンの言う「モラトリアム」と言えるのではないかと論じている。モラトリアムとは新たなモードへ人が入って行く時の、「どっちつかずの空間」である。ある種の無目的性によって、私たちはこうしたモラトリアムに入ることがあり得る。何をすべきか、どこへ戻るべきか、何に価値を置くべきか、何を欲するのか、どこに行くのか、わからない状態である。そのまま動きがとれなくなる可能性もあるが、変化を重ねて、ただ思考や方向が加わるだけではなく、新たな人間として生まれ変わることができるのだ。エリクソンは一九五九年に『アイデンティティとライフサイクル』を出版した。その一〇年後、人類学者のヴィクター・ターナーは『儀礼の過程』を出版し、この機能を果たすために世界で行われている通過儀礼を紹介した。混乱を待つのではなく、儀式が近道を提供する。少年は儀式によって男になり、少女は儀式によって女になる。子供か大人か、どっちつかずの状態でいる間に偶然悟るのではなく、スケジュール通りに悟る。この見方では、儀式が人々を境界状態に置き、そしてそこから抜け出させる。これは短縮されたモラトリアムであり、人生の次の段階へ移行させるものである。

＊＊＊

世界の中である状態から別の状態へと移行する期間を、エリクソンは危機と捉えており、中でも最も苦しいのが、「アイデンティティの危機」や『中年の危機』である。エリクソンは他にも「親密性の危機」「生成力の危機」等を提案しているが、作用の仕方は違っている。しかし、成人することは次第に緊張を伴うものとなった。労働の世界に移行する、あるいは、年齢を基盤にした生殖の世界へ入っていくことは、古風なことに見える。それに加えて、危機は対応する必要があり、火のように消さなくてはいけない。しかし私の考えでは、危機の言語は大部分の人にとって意味を持たない。ターナーの「境界状態」の方がはるかに有用である。「境界にいる」という状態は確かに「敷居」に立っているのであり、ある人たちにとってはそれが危機に感じられるという点ではエリクソンも正しかったが、一部の人たちがそれを悪いことと捉えた（一九七〇年代における「中年男性の危機」はその古典的なものである）。しかし、境界期が危機だ、社会的に対応が必要だという理由はない。また、変化に標準的な形がある（一つの段階から別の段階へと進む）とか、標準化された儀式は精神分析の介入で理想的な結果が得られると、私たちはもはや信じていない。こうした考えは、端的に言って、時代遅れである。

とはいえ私たちはうまくいけば、段階を移行し、変化を遂げる。いつまでも親指をしゃぶり続けない。変化はスムーズにうまく行くこともあれば、唐突でうまく行かないこともある。敷居は二つの状態を分ける。一つは見知っている状態であり、もう一つはよく知らない、これからの状態である。とはいえ、これから創造しなくてはならないものとしては、既に存在している。この「敷居」は、開かれた機会の時期であり、多少の「無目的性」が助けになるだろう。私たちの文化では、親密性の危機は法的成人年齢まで長引かず異性との婚姻まで一飛びすることも（最も早い可能性としては）成人直後に可能であると決めている。こうした跳躍は正当であり。必要でもあるとされているのだ。成人が性的な関係を持つ可能性を、決められたスケジュールに従うものとは想定しておらず、あくまで人生の中でいくつもの可能性があるものと捉えている。また、アイデンティティも、一たび確立したら永遠とは考えておらず、自己との関係も止むことなく発展して行く。私たちはこのように、個人レベルで、二〇世紀半ば頃の硬直的な考え方（大人になって自己を確立したら変化や後戻りはできない）を捨てて、より広範囲な「無目的性」を許容している。私たちは敷居に立ち、どちらの道が良くてどちらの道が悪いかを決めるのではなく（必ずしも互いに排他的ではない）複数の可能性を見て取ることができる。立ったまま深淵を見ることさえできる。

＊＊＊

こうした「どっちつかずの状態」は、警告なしに訪れることがある。通過もなく、派手な出来事や事件もない、人生の間延び状態。ナサニエル・ホーソーンの小説「ウエイクフィールド」はこのように書いている「ウエイクフィールド氏は妻とロンドンに住んでいる。ある日彼は妻に、馬車で田舎へ行くと伝える。彼にはもともと小さな秘密を持つくせがあったので、妻もどこに行くのか、なぜ行くのかを尋ねなかった。彼は妻に、金曜日の馬車で帰れるだろうと言い、「一〇年間の結婚生活の中でしてきたように、別れのキスをして」出かけた。しかし彼は馬車には乗らなかった。町の反対側にさえ行かず、通り二本だけ離れた道にアパートを借りた。彼はこっそりと戻り、妻が「何かおかしい」と気づくかどうか、妻や家族の様子を伺った。彼が様子を伺うごとに妻は、「足取りが重くなり、頬は青ざめ、心配そうな顔つきになった」。数週間が過ぎ、数か月が過ぎ、妻は彼が死んだものとみなして、喪に服し、未亡人の装いとなった。彼の方はと言えば、カツラを買い、服のスタイルも変えた。彼は彼女が（彼自身もだが）老いるのを見つめ、気まぐれである雨の夕方、自分に課した二〇年の「流刑」の後で、歩いて家に戻った。

これは随分と風変りな話だが、私たち自身もまた、無目的ながら自分の生活に何らかの違和感を感じ、そうした時には人生から距離を取って、進むこともとどまることもできず、受動的に外から眺めることになるのではないか。

そしてウエイクフィールドは、通常の生活を送っている時よりも失踪後の方が、より焦点のある、目的のある生活を送っているように見える。彼は観察することにかけては勤勉である。彼の決意は固い。この「変容」の前に彼がどんなためらいを持ったにせよ、ホーソーンはそれについて語らない。

ウエイクフィールドは野心や欲望を解放して、無目的になる。彼の無目的性は「見守り」という形を取り、ひたすら妻に焦点を当て、妻を感じる。あるいは、ウエイクフィールドは失踪する前の生活で、無目的性を感じていたのかもしれない。すべてが無意味に感じられて、その生活を捨てた。そして焦点を合わせ、孤独な見守り人となった。彼はモラトリアムにいるのだろうか。それとも新しい生活を始めたのだろうか?

ニーチェは「ビジネスのせわしない活動は、静かな熟考に置き換えられる必要がある」としたが、ウエイクフィールドの行動はその一つのバージョンを提示している。「活発であること、つまりせわしないことが大事であるような時期などない。人間性の名で行われるべき、必要な矯正は、大規模に熟考を取り入れることである」。

ウエイクフィールドは家族を見守るために、家族から離れることを宣言した変わり者である。こうした思考の結末を、ホーソーンはニーチェよりも把握していただろうか? ウエイクフィールドの熟考が行動に取って代わった時、彼は彼自身を置き換えたのだ。これはニーチェが心に描いていたこととは違うだろう。

＊＊＊

こうしたことは全て、迷い犬や野良猫ならば直面しなくて済むことであろうと、私たちは考える。間違っているかもしれないが。

無目的性と旅３　意図

ブータンの王は仏教の伝統に従い、ブータンではいかなる動物も屠殺されるべきではない、と宣言した。

しかし私たちは、旅をすればいつでも、「ビーフですか？　チキンですか？」と訊かれる。ブータンには、食料以外の目的というには多過ぎる動物が育てられていることにも、人は気づいている。私が尋ねてみると、ブータンで育てられた動物たちは、中国やインドへトラックで運ばれるという答えが返ってきた。中国やインドで屠殺されて、肉だけブータンに送り返されると言うのだ。

ブータンの人々は国王の意図に応えている。ブータン王国では動物を屠らないが、動物の屠殺そのものを禁じてはいない、と解釈しているのだ。

＊＊＊

私は旅続きの人生《ノマディズム》で、ブータンも訪れたが、やはり矛盾に引き裂かれている。ある種の「無目的性」にコミットしている。旅程も決めず、予約もせず、計画もないという見せかけで、無目的を気取っており、その週の航空券が安いという理由で動く。それでセレンディピティを最大化している。しかし、事前に予約をしないからと言って、ホテルに宿泊しないわけではない。ホテルのカウンターで宿泊を頼み、もし満室だったらば別のホテルに赴く。旅を始めてから久しいが、どこのホテルも満室で、仕方なく真夜中になって諦め、車中泊したことが一度か二度ある。運が悪かった。

私は旅行先の国を気まぐれに動くが、最後には多くの旅行者が見る場所に行くことも多い。というのは、その国の人々に見所を尋ねると、地元の知恵を教えてくれるからである。計画なしだったはずが、観光プランに沿ってしまう。「幻想の自由」を様々なやり方で私は行使してきたのだ。あるいは、厳しい制約の中の自由。ある種、「ウリポ」的な旅。生成的な制約を有する無目的性。

＊＊＊

私はブータンで何人もの人に、肉を食べたいという欲望と、害をなしたくないという欲望の間の根源的な矛盾についてどう感じるのか、尋ねてみた。ガイドとして働く一人の若者は、しばしば旅行者との昼食や夕食に誘われ、毎回牛肉を食べている。牛肉はブータンでは高価で、家で食べることはまずないので、彼は喜んで食している。彼は国王の、屠殺を非合法とする勅令を正しいと思っていた。それは彼が王様や他の人々と同じように、仏教徒であり、完全に遵法的な人だからである。ブータンがこうした基本的な仏教の教えを守っていることも、彼は喜んで認めている。「仏教徒は牛肉を食べるべきではないのでは?」と私が尋ねると、彼は、牛を殺しているのはブータン人ではなく中国人だから問題はない、と答えた。「私たちは仏教の教えに従って生きていますし、動物は大事にされています。人々はあらゆる命を大切に扱っています」と言うのだ。昼食に供されて彼がたっぷり唐辛子をかけて喜んで食べたのは、動物ではなく牛肉であり、彼の関心は生きた牛に向いていて、食料としての牛肉ではないということが、矛盾を解消するのだろう。私たちの大部分も同じように考えているのだろうと思う。

さて、私のコンピュータ内の地図には、空白となっている地点がある。まだ訪れたことがないところだ。私の意図ははっきりしている。いずれ行ってみたいということだ。大きなルーレットを回して、ニュージャージーやコネティカットではなく、今まで訪れたことのない場所に行きたい。私はかつて、ボリビアやベラルーシの空港に下り立ち、レンタカーを借りてどこへでも好きな方角を目指すという贅沢を行った。運命の風に吹かれるまま、どこへでも行く。この瞬間、多数の方向に行く可能性があるということに、私の関心は集中していた。しかし私の関心、私の意図、ひいては私の方法は、ロスで次の旅を計画している時は、偶然に左右されていない。ボリビアに行く、ベラルーシに行くというプロセスは、意図的なのである。今書いたようにこれは不整合ではあるのだが、中国での屠殺場とブータンでの唐辛子かけ牛肉の間のように、矛盾と考えないことも可能だろう。存在するのは単なる事実である。

無目的性と怠惰２　ワーカホリック主義

以前にも考えたことがあるのだが、私が「無目的性」についてこんなに詳しく、「手放す」ことの専門家ならば、なぜこれほどせわしないのだろうか？　この文章を書いているのはモンゴル高原、ステップの中を通る砂利道の上である。ジープは右へ左へと傾き、でこぼこ道で揺れているので、キーボードで正しい文字を打つのも容易ではない。文字を打ち、直し、消し、また打ち直してやっと完成する。それでも仕事を続ける。絶え間なく美しい自然に囲まれているのに、ラップトップコンピュータに没頭している、「ニューヨーカー」誌のマンガのようだ。私は自分のアドバイスを聴くこともできない、哀れなワーカホリックだ。川で流れてくる流木を避けながら泳ぐワニのようだ。

＊＊＊

セルフヘルプに関する多数の本は従前から、リラックス、何もしないでのんびりすること、競争から抜け出ることを勧めてきた。そうした本はほとんどいつもある問題に関して、それを捨てるための努力と利益を結びつけた単純な見解である。遠回り、放浪、迷い、何もしないこと、待つこと、散策、ためらい、休息、なまけ、夢想といったことに価値を置き、無目的であること（意図、完成、完遂がない）を称賛し、努力・達成・勝利・蓄積といった産業化のエートスに代えてそれらを生活様式として採用することで大きな効果を得ると主張する。

　そうなればストレスは減り、あらゆる種類の健康状態も改善し、社会も良くなり、世界が平和になる…例えばジェニー・オデルは、「何もしないことが、最も重要な抵抗の形である」と主張する。レイチェル・ジョナットは、ある本では何もしないことが「喜び」をもたらすだろうとし、別の本では「より幸福で、静かな生活」をもたらすだろうとしている。ケイト・ノースラップは女性たちに向けて、「女性の持つ周期的な性質と同調する能力」を勧める。ロマン・ムラドフは「楽しく創造的な生活に向かうことが重要」としている。オランダのキャロリーン・ジャンセンは著書で、「読者のみなさんに何もしないということをお教えしましょう。くつろいで、世界で六番目に幸福度が高い国の恩恵を受けてください」と語る。

　しかし、素晴らしい結果が約束されている目標に反対するような議論を、どうして主張できるのだろう？　それすらも、望ましい結果を求め、目標に向かって何かをしている（何もしていない）のではないか？　私たちが全く何もしないことを求めている人は誰もいない。ただ彼らは活動を減らして欲しいだけである。

＊＊＊

世界を回っているとき、私には表向きの目的がある。旅行本を書くことだ。しかし、それだけではないことも常に自覚している。粗野な欲望を隠すイチジクの葉のようなものだ。糸や麻糸の切れ端を集めて大きな糸玉を作っているんだ、と主張するようなものなのである。もちろん私もそうである。いつの旅でも、旅行二日目には次のような疑問が浮かんでくる「なぜ私はここにいるのだろう?」「これは誰のためのショーなのか?」「ホーボーケン〔ニューヨーク州の都市〕やランチョクカモンガ〔カリフォルニア州の都市〕の真ん中にいるのと比べて、お金を両替しなくてはならない(が、単純な会話をする言語能力も欠如しているせいでうまくできないことも多い)ことを除いて何が違うのか?」「私はここで何をしているのか?」こうしたことを私は自分に問いかける。『私はここで何をしているのか?』(邦題は『どうして僕はこんなところに』)というのは、ブルース・チャトウィンが死の前年に出したエッセイ集のタイトルにもなっているが。チャトウィンは一九七七年に『パタゴニア』を出版し、それから一〇年で五冊出版し、死後にもたっぷり三冊分はある原稿が残されていた。ということは彼は、年におよそ一冊書く「怠け者」ということになる。

＊＊＊

ストレスを減らし心身の健康を保つためにできる主要な方策と言えば、前述の「アドバイス本」の多くも同意してくれるだろうが、「マインドフルネス」を実践し、あたかも何もしていないかのような状態にすることだろう。

仏陀の教えの中核に「ニルヴァーナ」(涅槃)があり、一部の宗派ではそこに至る方法として「ゾクチェン」を行っている。「ゾクチェン」とはチベット語で「達成」「目的」を表す「ゾクパ」と、「偉大」を表す「チェンポ」とを組み合わせた「ゾクパ・チェンポ」の短縮形であり、しばしば「偉大な達成」あるいは「真髄」と訳される。瞑想をするにあたって、意識を(例えば呼吸に)集中させると、「ゾクチェン」の状態に、あるいは、意識が開かれた状態、欲望から解放された状態、空虚な意識へと至り、あらゆる混乱がこの「絶対的なもの」へ溶けてゆく(これはソギャル・リンポチェの言葉を言い換えただけだが、リンポチェはよく知られているように「欲望の断念」という点では自らの説教を実践しなかった)。心をリラックスさせることで、注意を分散させることが可能になる。トゥルク・ウーギャン・リンポチェによれば、「惑いが完全に消え去る時、注意が散漫になることは二度とない」そうである。これより無目的な状態は想像しにくい。

スーザン・カイザー・グリーンランドはこのことを、別の種類の注目から表現している。私たちは一つの物事に焦点を当て、そこに注意を集中して、強調し、そして中心にとどめ、そこだけに焦点を絞る「スポットライト意識」を持つことができる。逆に、注意の範囲を最大限に広げ、「変わりゆく意識の広い範囲を照らし出す」ような、「フラッドライト（投光照明）意識」を持つこともできる。ゾクチェンの「本源的な純粋さ」（ダライ・ラマ）は、投光照明による光の端ではなく、むしろそれを超える。グリーンランドは、投光照明の中景に関するチョギャム・トゥルンパ・リンポチェ（この師も思想が実践を上回っているが）の言葉を引用している。

このアプローチは思考プロセスをカットするのではなく、それを解きほぐす。思考は透明に、ゆるやかになり、より自由に心の中を通り抜けたり、漂ったりできるようになる。思考は時に重苦しくまとわりつき、私たちに注目を要求する。しかし私たちのアプローチでは、思考プロセスはリラックスし、ゆるやかに流れ、根本的に透明になる。このように私たちは、思考のない状態を達成しようとするよりも、私たちの思考プロセスを関係付けることを学ぶのである。

これは白昼夢の無目的性であり、創造的プロセスであるが、ゾクチェンの「思考の完全な消失」ではない。あらゆることに注意を向けるが、同時には何にも向けないという形である。スタインが『アメリカ人の成り立ち』『みんなの自伝』『やさしい釦』に書いた、「全ては無になり、無は全てになる」というジョークだ。散らされた注目は、最大化され、同時に最小化された注目である。

＊＊＊

白昼夢は私を本源的な純粋さへと導くことは決してないし、また、決して長い時間持続しない。私は途中で投げ出し、仕事に戻る。こうした仕事は習慣なので、あらゆる習慣と同様、破るのが難しい。「ウエイクフィールド」の最後にホーソーンはこう書いている。「個人はシステムにうまく適合し、システム同士もうまく適合し、各システムは全体にうまく適合している。だから短時間でも脇にそれると、人は自分の場所を永遠に失うような恐しいリスクを感じる」。ウエイクフィールドはこうした恐しいリスクを感じなかった。実は私もである。しかし、それが潜んでいることは感じていて、無意識のうちに勤勉になっているのだろうか？　ニーチェがビジネスマンを評して言ったように、私の勤勉さは、ウエイクフィールドのようなモラトリアムとしての無目的性なのだろうか？

私は違うと言いたい。ウエイクフィールドは本を書かなかった。書いたのはホーソーンである。

＊＊＊

本書を書くことも問題の一部を成している。仏陀は「八正道」を提唱したが、そこには「正しい心」「正しい瞑想」だけではなく「正しい思いやり」「正しい努力」「正しい生活」も含まれている。

もちろん翻訳のされ方は様々だが、中心となる考えは理解できる。私のお気に入りの禅の公案の一つに、瞑想は行動の回避に非ず、というものがある。四〇年間瞑想を続けて涅槃に至ったある僧が、師のところへ行き「今何をしたらよいでしょうか」と尋ねたところ、師は「そうだな、床を掃いたらどうだ」と答えたという。

思いやりのない宗教ほど悲しいものが他にあるだろうか？　使命を持たない女性、仕事を持たない男性、使命を持たない男性、仕事を持たない女性が僅差で次点かもしれない。より悲劇的なものは他にもあるだろうが、単純に悲しいものとしては、使命を見つけられないという失敗はトップに近いだろう。アドルノが「イデオロギー的に過飽和」とした私の内の部分がそう言う。

＊＊＊

コスティカ・ブラダタンによると、シオランは失敗を嗅ぎつける才能を持っていた。「ブカレストで私は多数の人々に会った。面白い人もたくさんいたが、中でも興味深いのは失敗者たちだった。彼らはカフェに姿を見せ、しゃべり続けで何もしていなかった。私にとって彼らほど面白い人たちはいない。何もせずに人生を送っているのであるが、それ以外は素晴しい」。

私はこの一節を愛しているが、信じてはいない。

＊＊＊

歴史上、自ら怠け者と宣言した有名な人たちもいる。例えばサミュエル・ジョンソンやジャック・ケルアックだ。例えばジョンソンはエッセイに「役立たず」「うろつく人」などと署名し、ケルアックは自分を「禅ヒッピー」と呼んでいる。しかし二人とも隠れ仕事中毒《ワーカホリック》であり、ジョンソンは実質的に一人で辞書を作ったし、ケルアックも常にタイプライターの前へと自分を追い立てていた。反面、労働倫理の代表的な推進者でも、ベンジャミン・フランクリンが顕著な例だが、文筆という点では隠れ怠け者だった。フランクリンは「エアバス」（裸になっての昼寝）を提唱し、それが午後の日程の多くを占めていた。なぜこれがあまり驚きではないのか、私にはわからない。最も大声で無実を叫ぶ者が、本当に無実とは限らないのではないか？　みなさんもご存知のように、「全警察官は犯罪者で、全犯罪者は聖人…」。

「怠け者のお話」が私たちに何をもたらすにせよ、それは現実を反映してはいない。怠け者は、仕事に支配された人生から逃避するファンタジーであるが、それは私たちが労働を止めることを意味しない。みなリボウスキを愛しているが、そうなりたい人はごく少数である。中にはそういう人ももちろんいるが、大部分はそうではない。そんな一部の人でも、ゴルフの試合をしたり、庭仕事をしたり、ガレージでプロジェクトをしたり、ボランティア活動をしたりしている。これは私たちが自由時間の過ごし方を知らないからではないか？　功利主義しか知らず、目的論という鳥かごから出られないのではないか？　もっとも私はそうは考えない。人間は種族として、物を作ることや、持っている技能を使うこと、人とかかわることが好きなのである。これはしばしば、作業や仕事に関わる、ということとつながる。

＊＊＊

だから、本物の怠け者（虚構の怠け者ではなく）を見ると、私は悲しくなるだろうし、少なくとも笑えない。

＊＊＊

センベーヌ・ウスマン（セネガル出身の作家兼映画監督（一九二三―二〇〇七）。二五歳の時にフランスに渡っている。『ハラ』は一九七三年にまず小説として発表され、翌年に自ら監督して映画化された）が監督した映画「ハラ（不能者）」の冒頭シーンでは、新たに就任した商務大臣とその部下が座って働いている。彼らが待っているとヨーロッパ人たちが入ってきて、現金を一杯に詰めたブリーフケースを彼らに手渡し、去って行く。一人の部下が立ち上がってスピーチをする。「私たちは一緒に働かなくてはならない」といった言葉が含まれている。そして翌週に迫った結婚式を思い出させる。彼らの一人が三人目の妻をめとるのだ。そして彼らは仕事を終え、家に帰る。サブプロットとして商務大臣が、汚れて飢えた乞食の集団（その中には手足を失った者や明らかに病気の者もいる）をオフィスから追い払う。乞食たちは、警察が降ろしたところから、それがどこであれ足を引きずって長い距離を戻って来る。その姿を私たちは見せられる。映画の最後で大臣が解任されると、乞食たちは大喜びで、堕ちた腐敗政治家に向かってツバを吐く。この映画は怠け者コメディの政治版と言えるが、現実にも似たようなことはある。米大統領が裕福になるにつれ仕事よりゴルフに行く回数が増えるとか、ジンバブエのロバート・ムガベが、国民の生活を向上させるような仕事はせずに、国民の富を収奪して海外に持ち出し、世界中の銀行に預けている、など。これらは笑えない。ムガベの場合、就任後の最初の二〇年から三〇年の間に、最初の数十億ドルが溜まっていた。なぜだ？　こうした無目的な略奪が起きるのは！　なぜだ？

チンギス・ハンのことも思い浮かぶ。なぜ彼は家から遠く何千マイルも離れた土地を襲い回ったのか？　馬を取り換えながら土地の状況の良いところを走っても五〇日はかかる距離である。世界を支配しようとしたのか、権力を求める無目的な、自制の効かない欲求があったのか？　ナルシスト的な無目的性だろうか？

いずれにせよ、豊かな人間の無目的性と貧しい人間の無目的性とは、同じではない。権力のない人間の無目的性と権力のある人間の無目的性も、同じではない。

権力は腐敗する。権力は絶対的に、無目的性を腐敗させる。

＊＊＊

私はベッドで執筆している。今は原稿の点検をもう一度している。いくつもの枕を支えにし、膝の上にラップトップを載せている。文字通りのらくら者だ。時々無目的になったり、時々勤勉になったりする、のらくら者である。

私の作ったささやかな「言葉の帝国」を調べると、小さな各章は領土に似て、私を前に進ませる。チンギス・ハンが新たな領土を加えていったように、私は百科全書的な衝動に耽溺する。ボードレールやソローの「散歩」も加えるべきではないか？　南アジアの「サドゥー」（聖なる裸の放浪者）についてはどうだろか？　私自身の無目的性は？　放浪するコックや大工としての年月、学問教養における長年の放浪、あらゆる事柄における私の「逸脱した目的」は？　これを栄誉として、同時に恥辱として、どのように「着こなし」たらよいだろうか？

無目的性と注目 1　意識の流れ

私は長年、ウィリアム・ジェームズの発言として私が引用してきた部分の出所を探してきた。「意志の本質は、意識の流れを方向つけることである」といった文章である。

彼は表立ってはそう言っていないが、私は彼がそう言ったと確信していた。しかし、見つけられない。何かが起こったのだ。彼の著作を読んでいる時、それがたくさんあったか、彼が実際に言ったことを連続で思い出し違いしたため、少しずつ核心から逸れていったのかもしれない。「意識の流れは方向付け可能であり、方向付けるという行為が人間の意志」という考えを、私は長年にわたって何度も引用し（私は引用していると思っていた）、これが思想家としてのジェームズの主要な功績であると主張している。私は、これを彼の『心理学』で読んだと確信していたが、おそらく「私の心理学」だったのだろう。読んだものは何であれ、時間が経つうちに、著者の考えから私の考えへと変形してしまうと、前提しなくてはならないのだろう。もちろん、ジェームズの『心理学』以外の本で読んだという可能性もある。二つの考えが混じったのかもしれない。あるいは日常でよくある「無理解」かもしれない。誤解や、投影や、事故や、リミックスの組み合わせであるかもしれない。

私が「発明」した一節は、私の記憶の中では『心理学』の「意識の流れ」という概念を導入した章にある（ジェームズがこの言葉を考え出した）。十分に皮肉なことだが、これがジェームズが実際に何と言ったか調べがつかない私の失敗の結果だとしても、意志についての私の理論（今からこう呼ぶ）は、「注目の理論」である。私はいつでも、どこに注目するのかを選択でき、意識の流れを、それがどこで起きたものであれ、そちらへ、新しい道筋へと向ける。それはあたかも、川の流れが土手を超え、あふれ出し、新たな下り道へと向かうことに似ている。私が注目する先を選ぶ時、私が自分の注目を方向付ける時、私は意識の流れを変える。その道筋を変える。

川が道筋を変えることは、「蛇行」と呼ばれる。

＊＊＊

白昼夢を見ている時、私たちの心はまさに「蛇行」している。どこへでも好きなところに向かい、意思や反省によって中断されず、ニューロンは自動発火し、意識に近いが方向付けられない流れである。しかし、私たちが白昼夢にいることを自覚した時、つまり白昼夢の中にいるという事実に気が付いた時、それは終わる。白昼夢を終わらせるものは何だろうか？　電話のベルが鳴る、他人に押される、地下鉄が駅に入ってくる。時には自分で、しなくてはならない何か（例えば書くとか）

を思い出して、そちらに注目を向け、自分を喚起して、意識の流れを目下のこと（地下鉄を降りる、電話に応える、次のパラグラフを書く、等）へと向けることもあるだろう。白昼夢を見ることは無目的である。しかしやがて、私たちは再び目的を取り戻す。

＊＊＊

ジェームズ以降の百何年かの間に多数の人が気付いたように、「意識の流れ」は実際には流れではない。継続的なもの、線状の連なりとして現れる可能性はあるが、層やコラージュとして現れる場合もある。フロイトが意識、前意識、無意識を措定した理由の一つもそこにあるだろう。水が下に向かって流れるとき、一本の流れになるとは限らず、拡がったり、別の流れとぶつかったり、無数の小さな流れを形成して海へと向かう。意識もデルタを形成するのだ。私たちが球技を観戦している時、同時にナチョスを食べ、隣に座る人と冗談を言い合い、次のビールをいつ持ってくるべきか心配し、誰かが廊下をやって来るのを感じ、スコアをチェックするといったことを、ほぼ同時に行えるのである。「意識のコラージュ理論」「意識のデルタ理論」が示しているところでは、注目は多重的なものであって、意志（そう呼びたければ）とは自動車に停止や進行を命令する交通警官のようなものではなく、より分散したもので、例えるならむしろ、あらゆる方向から航空機がやってくる空域を監視し指示を与え、あらゆる方向に向かって指令を出す、航空管制官のようなものだ。

＊＊＊

ガートルード・スタインがウィリアム・ジェームズらの下で心理学実験を行っていた時、通常の状態にある学生と、この実験によって疲れてしまった学生とでは反応が違うことに気づいた。「注目という習慣は、その個人の複雑な性格の反映であると観察できる」というのが彼女の結論である。注目は性格なのである。

＊＊＊

子供の頃に私は、明晰夢という言葉を聞いたことがなかったが、それを「発明」した。また、ペイントボールに似た複雑なゲーム（そう、私はペイントボールも、無人自動車も「発明」しているのである）を遊んでいた。ペイントボールと違って、多色ではなく、小麦粉を使っていた。小麦粉を詰めた小さなカプセルをライフルで撃ち、人に当たると服に白いしぶきが残る。審判を務める「医者」がいて、胸に当たった小麦粉が心臓の近くなら「死亡」と判断し、そうでなければ「手当て」をして、ゲームに復帰するまでの「入院時間」を宣告し、それが過ぎればゲームに戻る。このゲームは完全に空想上のものだと言うべきだろう。私はベッドの下に用意したノートに、学校の五〇人かそこらの生徒の名前を書いて二つのチームに分け、軍隊上の地位および役割を与え、ベッドに目を閉じて前夜の夢のラストシーン（戦闘であったり戦闘準備であったり）へと戻り、夢の中の小競り合いを展開させ、士官たちの議論のドラマに加わり、五つ星の将軍のように、ダグ・アーウィンから将軍の「星」を奪って少将に降格し、ジョン・アドニーを昇格させる…

明晰夢を見るプロセスはデリケートなものである。眠りは常に、明晰夢を終わらせる恐れがある。また、依然として起きている意識の小さな部分からの干渉によって、夢の状態の活気を容易にシャットダウンしてしまう可能性もある。さらに時として、夢の中の出来事によって目が覚めてしまうこともある。ある夜、私は夢の中で航空機に乗っていて、下にいる敵の軍隊に向かって大きな小麦粉の袋を落としていた。夢の中で「そうだ、飛行機だ！」と思いついたところで私は目が覚め（大きな小麦粉の袋を撃つことのできる戦車や榴弾砲は、多数の人々や彼らの戦車やジープを標的にすることができるだろう、そうだ、ジープだ！）、ベッドの下からノートを取り出して、二つの軍隊に新たな装備を付け加えた。航空機は夢のような発明品である。私はより多くの人をパイロットにする必要があった。その中には私より階級が下の者もいた。ゲームがあまりにも面白くなったため、私は一歳年上の子供、上官代理にさえ自信を持って命令を与えた。彼らはより高いランクを得なくてはならなかった…

私はこのゲームの精神について、これまで語ったことがない。

研究者が知っているように、練習によって人は上達する。訓練することでよりよい明晰夢の使い手になることができるのだ。私がこのゲームをしていた数年間（いや、実際には数か月かもしれないが）、私は夢の中で自分の姿を見ることができ、心の中にいる多数の「手先」の行動を方向づけて、常に物語のヒーローになることができた。たまに逆境に陥るような行動をすることもあり、ベッツィー・オグデンが私の敗北を見ていたら（オグデンは私の夢で何をしていたのだろう？）、私は夢から出て、目を覚まし、ゲームを再構築し、より良い夢へと入っていく。ああ、甘美な勝利……

＊＊＊

無目的なニューロン発火と、方向づけられた空想との関係――フロイトであれば、欲望がその両者を導いているのだから、両者は酷似していると私たちに考えさせるだろう。あるレベルでは、この分析は正しいと私も思う。しかし、人の心的機構を基礎的な快楽へと向けることと、それを無目的に独自の道筋で発見させることとは、違いがある。後者は、予測が難しく、驚きを含んでおり、楽しいとは限らないが、結果が確かめられている前者とは違って、新しいものをもたらす無目的な瞬間がある。

＊＊＊

神経科学者のグレゴリー・ヒコックは、意識の「流れ」という比喩を問題視しており、意識は

「流れているのではなく、量子化されている」と主張する。私たちは「意識のリズム」について語るべきだと言うのである。意識は、ある種のサンプリングの中で、閃光の中で起きる。映画の経験よりはスライド上映に、プロジェクターよりはストロボに、ストーリーよりはデータに近い。その結果生まれるのはコラージュのプロセスであって、水の流れのようなものではない。心は、水力や電気によってではなく、「ダダイズムのアトリエ」によって動いている。

無目的性とノマド3　車とテノール

遊歩者《フラヌール》に飽きてきた。若い頃は遊歩者という考え方に魅了された。当時、大学院でみなヴァルター・ベンヤミンを読んでおり、パリでのボヘミアン的なロマンティックな生活を想像したものだ。遊歩者はどこに向かっていたのだろうか？　どこにでもあり、どこにでもない。遊歩者の地平は何だろうか？　常に変わっている。遊歩者の意図は？　より気を散らすこと。

ギー・ドゥボール（フランスの思想家・映画作家でシチュアシオニスト（一九三一―一九九四）。代表作に『スペクタクルの社会』）は遊歩者を、批判精神の足りないディレッタントと見ていた。彼は一九五五年に、人々は漂流《デリブ》を実践すべきだと書いた。デリブとは都市を歩き抜けることだが、私の見る限り、速度を重視するという点で独特である。ドゥボールによると、デリブによって異なった結果が得られる。「デリブからのレッスンで、私たちは、現代都市の心理地理学的な構成をざっと掴み取ることができる。雰囲気の統一感や、主要な構成要素や、空間的な位置関係を超えて、移動の軸および、出口、防御といったものを認識できる。そして、心理地理学的な結節点の存在について、中心的な仮説に到達する」。

ここでは本末転倒でニセ科学の装飾が付いている。しかし私の知る限り、シチュアショニスト〔前記ギー・ドゥボールらが主導したヨーロッパにおける社会革命運動で、一九六八年に五月革命などに影響を与えた〕による街歩きと、ゲオルク・ジンメル〔マックス・ウェーバーやエミール・デュルケームと並び称される、ドイツの古典的社会学者（一八五八―一九一八）。主著に『社会分化論』『貨幣の哲学』など〕による街歩き、あるいはジェイン・ジェイコブズ〔都市問題を中心に追究した米国のジャーナリスト（一九一六―二〇〇六）。『アメリカ大都市の死と生』で知られる〕やアルフレッド・ケイジン〔米国の文芸批評家（一九一五―一九九八）。ユダヤ系移民の息子として生まれ、著書に『ニューヨークのユダヤ人たち』など〕やウィル・セルフ〔イギリスの作家（一九六一―）。ブルネル大学教授も務める。著書に『コック&ブル』『元気なぼくらの元気なおもちゃ』など〕やレベッカ・ソルニット〔米国の著述家（一九六一―）。社会問題に対して積極的に発言し、災害の後に発生する助け合いの共同体「災害ユートピア」概念の命名者として知られる〕や私自身の街歩きとの違いは、それぞれ微妙に異なった観察をし、異なった結論を出すというところだろう。シチュアショニストの前提を持って街を歩けば、シチュアショニストの結論に到る。ベンヤミンやその遊歩者にしても同様だろう。

私たちが遊歩者を愛するのは、遊歩者の考えを愛するがためではなく、怠惰な人物を愛するのと同じ理由だと私は思う。リボウスキ〔コーエン兄弟が監督した米国の映画『ビッグ・リボウスキ』（一九九八）の主人公で、同名の富豪と間違えられて事件に巻き込まれる〕がボウリング場でホワイト・ルシアン〔ウォッカがベースのコーヒー・リキュールと生クリームで作るカクテル〕を注文するように、遊歩者はペットの亀を革ひもでつないで散歩させる。彼の生活を風刺することで、私たちの欲望を劇的にするのである。私たちが遊歩者との恋から抜け出る時には、それはおそらく風刺が時代遅れになったためである。コーネリア・オティス・スキナー〔米国の作家兼女優（一九〇一―一九七九）。『呪いの家』『夢去りぬ』などに出演〕は一九六〇年代に、「遊歩者」は英語に翻訳できないとした。「義務や急用に煩わされることなく、故意に無目的の歩行者というのは、本質的にガリア的であるアングロサクソンには、対応する言葉がない」。しかしもちろん、対応する言葉はあった。それは loafer であり、lounger であり、rambler であり、slacker である〔いずれも怠け者、ぶらぶらしている人を意味する〕。

＊＊＊

ベンヤミンは『パサージュ論』において、遊歩者を近代の都市経験の本質として樹立した。『パサージュ論』が書き始められたのは一九二〇年代、パリでスタインがフィッツジェラルドやヘミングウェイと会っていた時代である。ベンヤミンは「パサージュ論」を、ノンフィクションにおいてコラージュの技術を使う試みとしている。彼が遊歩者に並置するもう一つの近代の類型が、旅行者である。

＊＊＊

一九二〇年代には、新たな種類の映画も立ち上がった。ロバート・フラハティ監督の『モアナ』（一九二六）の批評で使われた「ドキュメンタリー」という手法である。フラハティの『極北のナヌーク』（一九二二）はセンセーションとなり、ロマンティックさを備えた最初のエスノグラフィー映画となり、（フラハティ自身の『モアナ』も含めて）多数の作品を生んだ。こうしたエスノグラフィー映画は、紀行作品の人気や、それに先立つ景色の良さ（米国の映画観客はこうしたものを重視する）に多くを負っていた。『ヨセミテへの旅』（一九〇九）、『ブラジル横断紀行』（一九一〇）、『サルと蛇の国で』（一九一二）、『ロサンゼルス観光』（一九一二）といった例が挙げられるが、それらにはパノラマショットや、有名な景色や、地方の文化が溢れている。

批評家にも好評で、興行的にも成功した、長編エスノグラフィー映画の二つ目は『草』（一九二五）である。このドキュメンタリーでは、バフティヤーリーの遊牧民の集団が、家畜の群れを連れて、トルコの中部から、ザグロス山脈を越えてペルシャ（イラン）に移動するというものである。メリアン・C・クーパー、アーネスト・B・シェードサック、マーガリット・ハリスンの三人が、四八日間に及ぶ、数千人の人々とそれ以上の家畜の群れの行程をフィルムに収めた。映画製作者たちは、彼らが捉えているのは失なわれつつある一つの生活様式である、との感覚を持っていた。実際にクーパーが、一九四〇年代になってからより改良したバージョンの撮影をしようとした時、この映画で最もドラマチックな場面の一つであった危険な川渡りが、新しい橋の架橋によって過去のものとなったことに気づいたのである。それだけではない。土地の移動の大部分が、人も家畜も、新たに建設された鉄道路線に沿って行われるようになっていたのだ。こうしたエスノグラフィー映画の中には、撮影するのが「遅すぎた」ものもある。よく知られた話だがフラハティは、撮影当時イヌイットが実際に猟に使っていたショットガンよりも、銛を使うように要請していた。彼が撮影した時には既に、イヌイットの中で、銛を使う文化は失われかけていた。

ここにポイントがあった。『草』の中で人々を率いてアナトリア高原を渡っている「ハン」や、『極北のナヌーク』でのイヌイットたちは、近代の都市生活において私たちを閉じ込めている「決まりきった生活」から自由であるように描かれている。彼らには移動の自由があり、いつ働くか、いつ移動するか、いつ食べるか、どこに行くかを決めることができる。彼らはノマドであり、自由であり、どこでも好きなところにユルトやイグルーを建てることができる。こうしたドゥルーズ的、アドルノ的、あるいはサーンクリティヤーヤン〔インドの農民運動指導者（一八九三―一九六三）。仏教とマルクス主義思想を学び、カースト制度を批判。インドに社会主義革命を起こそうとした〕的な自由幻想は、知識人がしばしば災厄と考える近代の発展に対する反動であった。『草』が公開された年にチャールズ・メイヨー博士〔米国の外科医（一八六五―一九三九）。甲状腺腫の手術で著名。メイヨー財団を設立し、医師教育に貢献した〕は、そうした考えを持つ医師の長い系譜に沿って、このように語っている「近代生活のペースは深刻で、今日の私たちの病気を引き起こしている。シンプルな生活に戻れば医師の必要性は激減するだろう。しかし、それをどのように行ったら良いだろうか?」。

＊＊＊

したがって遊歩者もノマドも、ノスタルジアやロマンティック・ファンタジーにとって「良い」、考え方として「良い」というだけである。しかしいずれも自動車がその行路の邪魔をする(「王冠」を「王」の意味で使う人がいるが、その場合、「自動車」は、I.A.リチャーズによれば、「行路」の意味である)。

＊＊＊

イブン・バットゥータはしかし、「自動車」でもあり「行路」でもある。イブン・バットゥータは一四世紀、タンジェ出身で、モロッコの判事の家に生まれ、日常的に旅に出始めた。メッカに巡礼したが、ラクダ、徒歩、海路を使っている。

しかし彼はそこで止まらなかった。彼の夢は、大きな鳥に持ち上げられて、「極東」まで運んでもらうというものであった。現在の国名で言えば、イラクへ、イランへ、さらにはアゼルバイジャンやイエメンやソマリアへ。彼は「モガディシオは大きな都市だ」と書いている。そこからさらに南のケニヤやタンザニアを目指し、戻ってシリア、トルコ、アフガニスタンからインド、そしてロシア、モンゴル、中国へ。何度も追い剝ぎに遭い文無しになっているが、しかし移動し続け、モルディブ、スリランカ、東南アジアへ。

この旅程の後でモロッコの家に戻っているが、そこに留まってはいなかった。スペインへ行って戻り、次にはサハラを横断してアルジェリア、モーリタニア、マリ、ニジェールへ。バットゥータが生まれたのはマルコ・ポーロがちょうど旅を終えた頃だったが、バットゥータは二度に渡る大旅行をしている。二度目の旅行からモロッコに戻った時、彼は自分の旅行記を、イブン・ジュザイイという名の作家に語り、その結果が『都市の不思議と旅の驚異を見る者への贈り物』（通称『リフラ』「大旅行記」）である。この本は、彼の旅、冒険、災難を辿り直すものだが、彼の一〇回に及ぶ結婚と離婚、各地方や、都市や、建築の脅威、野生生物、農業、生活様式、さらに彼が宗教指導者や、官吏、王、ハン、皇帝、および普通の人々との出会いも記されている。

いったいどのくらい本当なのだろうか？　王の従僕が自分の頭をナイフで切り落とす話が出てくる。王の話では、あまりにも王を愛しているため、従僕は時々そうするのだという。これは起きたかもしれないだが、多分ウソだろう。他の個所も自由に観察しているという感じを与えるような、ランダムな観察という色合いが強い。ドファール〔現在はオマーン国内〕について、彼はこう書いている「そこの市場は世界で最も汚く、売られている果物や魚のせいでハエがこの上なくたかっている。魚の種類はマイワシ類が多く、その国では極限まで太っている。奇妙なことにマイワシ類は家畜や獣のエサとなっている。こんなことは他では見たことがない。市場での売り子の大半が女奴隷で、黒い服を着ている」。

最も印象深い部分の多くは、次の一節の最後の一文のように、客観的な旅行記に後から付け加えられた余談がほとんどである。

私たちはスルタンの領土であるトゥンの町を過ぎ、ギリシア人たちが崇拝した古代からの大都市アヤスルク（エフェソス）へと向かった。上手に切り出された石で作られた大教会があり、一〇キュビットかそれ以上の長さがあった。かつてはギリシア人たちが大変に崇拝した教会堂モスクは、世界で最も美しい建物の一つだ。私はここでギリシア人の少女奴隷を一人、四〇ディナールで買った。

彼は行程の中で、バランスの取れた対句となっている格言を作っている。「旅は人を無口にするが、その後で人を語り手に変える」「旅は何千もの異郷をあなたの家にするが、あなたの土地であなたを異人にする」。

＊＊＊

彼の旅は巡礼という使命を受けて始まったものだが、後に動くことが衝動となっていった。「巡礼のキャラバンが出発する二か月以上も前に、私はモスルからディヤルバクル〔現在はトルコ〕を見に行くというのはいい考えだと思っていた」と、彼はある個所で言っている。しかし多くの場合、出向くのに理由などない。「かくして私は行く…」「グラナダを出て私は旅を続けた…」「二五日後、私たちはタガザ〔現在はマリ〕に着いたが、魅力のない村だった…」。

＊＊＊

旅のあり方だけでなく、その語り方にも多くのランダム性がある。食材について、語られたり語られなかったりする。旅行の手段についても描かれたり描かれなかったりだ。女性の地位についても、コメントがあったりなかったり。一四世紀の世界について、私たちが現在利用できる中では、最も徹底的かつ広い範囲についての証言があるのが『リフラ』（大旅行記）だ。イブン・バットゥータにとって旅とは、イスラム世界を学び、宗教の純粋な実践と出会うことだと、彼は書いている。しかし彼の本は、彼の旅と同じように、全く無秩序で、ただ時間の経過と無目的性に貫かれている。彼が差異に対して心を開いていること（彼はイスラム的な純粋さの価値を強く主張しているが）および、誘いや偶然に乗っていわば「風に吹かれるまま」に道程を選んだことが、百科全書につながるような語りを形成したのだろう。

無目的性と注目２　卓越性

「偉大なシェフ」を「良いシェフ」から分かつものは何だろうか？　技術とあなたは言うかもしれない。あるいは、公式・非公式のトレーニング。世界中のシェフから学んだ技巧。はたまた創造性。しかしそうしたものは良いシェフでも持っているだろう。私は「注目の質」に関係した何かだと考えたい。私がステーキハウスで働いていたある晩、焼き器では四〇枚の肉が、不規則に、ほとんど多元的なあり方で焼かれていたが、私にはそれらが「生きて」感じられた。それぞれがどのくらいレアなのか、ミディアムレアなのか、どのくらい肉汁を出しているのか、誰の注文なのか、正確に分かった。複数の焼き器で四〇枚を同時に焼いていたのに、である。私は全てに対応していた。料理は刻々と変化する。ステーキが焼き器の中で焼き目を付けている中で、ポテトを焼き、ロブスターを蒸す。私の注目は、分散し、かつ集中していた。しかし何らかの理由——失恋や二日酔いや恥をかかされたことなど——で注意力が衰え、不適切な行動を取ることがあった。偉大なシェフは決して、注意力が途切れることはない。私は偉大なシェフではなかったのだ。

＊＊＊

　フェラン・アドリアはある一点において、世界で最も有名なシェフである。彼のレストラン「エル・ブジ」は、バルセロナ北郊の寂しい岬にあり、一年のうち六カ月だけ開店しているが、二年前からでないと予約が取れない。閉店期間は「トーラー」というワークショップで、料理の実験を行っている。「分子美食学《ガストロノミー》」と呼ばれることもあるが、彼自身は「脱構築主義者」を自称している。

私は一〇年ほど前、フードライターと共にエル・ブジで食事をしたことがある。一番はっきりと覚えているのは、ある料理の付け合わせに出てきたトマトだ。半分に切ったトマトの小さい方を、平らな面を下にし、外側の果肉部分を取り除き、種の入った部分だけが無傷でそのまま、ハートの形に整えられていて、まるで宝石屋が作ったアルマジロのようだった。トマトをこうした形にしたものは、以来一度も見たことがない。「トマトらしさ」についての私の考えは、完全に変化してしまった。

　アドリアと仲間たちには、野菜を小さな大砲から壁に向かって撃ち、その結果を見に行くという逸話がある。ゲーリーが使った、紙を丸めて投げるという「ランダム化技術」と似ている。アドリアたちは人々が茹でる野菜を揚げ、揚げる野菜を茹で、固体は溶かし、液体は固める。別の言い方をすると、完成した料理のイメージから導かれるのではなく、恣意的な、もしくは強制的な、セレンディピティを使うのである。やがて何かが現れる。トマトの裏表を逆転させた付け合わせのように。しかし実際に調理される時には、大変な精密さと、十分な意図および緊張感を備えている。それを生み出すために無目的な偶然を掴み取ることが必要とされるのだ。アドリアのトーラーは、料理における「ウリポ」だった。

＊＊＊

集中と弛緩の間でバランスを取ることは、賢人たちが「悟り」と呼ぶものの本質である。涅槃とは輪廻《サンサーラ》であると、とある古い公案は述べている。悟りは日常的なことがらである、というのも、それ以外の可能性があるだろうか？　賢人は、残りの私たちと同じ地表に座っている。芭蕉に敬意を表して、二つの禅の公案を俳句の形で述べたい。

どのシェフも
同じひしゃくを
使ってる

裏表
トマトはすべて
涅槃なり

＊＊＊

幸運を願って、サイコロを転がし、コインを弾く。こうしたものは意図を排して運命の風に任せるというイメージがある。しかしいずれの場合も、ゲームの規則に従うという意図はあり、ある選択肢が選ばれるだろうという理解はある。いわば意図的に、意図を排しているのである。

ポーカーを感情にまかせてプレイする人々がいる。言い換えると、全く気ままにプレイする、ということである。そうではなく、オッズを計算してプレイする人々もいる。ポーカーのテキサスホールデム〔自分の手札二枚と、場に出ているカード（フロップ）五枚を合わせて役を作るというもので運と実力のウェイトが半々くらいとされる〕で、自分のカードとフロップ〔場に出ているカード〕を合わせて四枚同じマークのカードがそろっていれば、フラッシュ〔ポーカーで五枚のカードが同じマークにそろった時の役〕が出来る可能性は三十数パーセントとなる。誰でも、どんな手でも、勝つ可能性はゼロではないが、長期的には、確率計算を基にしてプレイする人の勝率が高くなるだろう。

ランダムさがあるからギャンブルは楽しくなるのだが、ランダム過ぎるとつまらない。こんなゲームがあるとしよう。トランプ五二枚が置いてある。あなたはカード一枚に賭け、そのカードが現れたらあなたの勝ち、外れたら胴元の勝ちとなる。例えばあなたが「ダイヤの4」に賭けたとしよう。あなたが勝つ確率は二パーセント以下である。ルーレットであれば、様々な選択肢がある。非常に勝率が小さい賭けもできれば、勝率が約四九％の賭けもできる。賭けに勝った場合のリターンも多様で、自分が勝つのではないかという幻想は少なくとも保つことができる。だからこそ、カジノのルーレット卓はいつも満杯だ。どこのカジノにも、「数当て」のテーブルはない。つまらないからだ。

＊＊＊

神経学者のダマシオ夫妻（アントニオ＆ハンナ）および彼らのコーネル大学での同僚が、コンピュータ上でプレイする実験的なカードゲームを考案した。参加者は、トランプカードの四つのデッキを提示され、いずれかのデッキを選んで、得られる金額を最大にしようとする。デッキの中には、他のデッキよりも勝ちやすいものがあり、多くの人はどれが「当たり」かを素早く見抜き、それを使ってプレイする。しかしある種の人たち、とりわけ感情を司る脳の部分（腹内側前頭前皮質のような）に損傷を受けた人々は、有利なデッキと不利なデッキを同じ確率で選び続けた。彼らは勝ち負けに無頓着で、驚くことではないが、ギャンブラーとして非常に悪い成績だった。

このことは「ダマシオの法則」とでも言うべきものを提示する。無目的性の利益は、ギャンブルの楽しみと同じように、二つの事柄に制約されている。結果に対する感情的な投資と、良い結果をもたらす理にかなった機会である。無目的性の利益は、ある水準の、未来指向の制約に依存しているのだ。まさにギャンブルである。

＊＊＊

作家や芸術家はランダム性を信頼している。しかし結局、彼らは選択する。あの単語でなくこの単語、あのストーリーではなくこのストーリー、あのイメージではなくこのイメージを選ぶ。私たちはどのように選択をするのか？　二つのうちから、あるいは多数のうちから、正しいと「感じられる」ものを一つ選ぶのだ。選択肢のうちの一つが、私たちを感動させ、感情的な共鳴を呼び起こす。私たちは賭けに興味を持ち、その結果に興味を持つ。私たちは確率を最大化する。したがって「ダマシオの法則」は、私たちが純粋な無目的性は望んでいないことを示唆する。望んでいるのは、ある程度の無目的性なのである。無目的性を、正しいと感じられるものを選ぶのに使う人もいる。

無目的性と怠惰3　焦り

ブルース・チャトウィンは早くして亡くなった時、未完のプロジェクトを二つ抱えていた。一つはノマドの歴史であり、もう一つは焦りの分析である。彼は、オーストラリアのアボリジニについて書いた著書『ソングライン』の中で、「私にとって最大の問題は、人間の焦燥感の性質である」と書いている。彼は焦燥感を、身体的および知的に体現した。ノマドについて書かれた彼の文章は、せわしない読書のカタログであり、彼自身の文章は最小限で千もの引用がなされており、利用可能な素材をひっきりなしに「消費」した証拠となっている。チャトウィンは書いている「パスカルは憂鬱な時、こう言った。人間の不幸はたった一つの原因から来ている、それは人が部屋の中でじっとしていられないことだ」。チャトウィンはこの考えをただ説明しているようだが、実際には賛同している。

＊＊＊

もしネットで「焦り」(restlessness) を検索すると、結果として現れるのは「焦りの克服」「焦りの治療」「不安その他の不調の徴候としての焦り」についてばかりである。私が気に入っているのは、これらを統合した「焦りとは、より深刻かもしれない問題の徴候である」というものだ。

何かをする必要性を感じているとか、成し遂げるべき目標があるといったことの徴候である可能性はないのだろうか？　クリス・デイヴィスが彼のサイト「怠惰論」で論じているように、組織が外部環境に絶妙に適応していると、怠惰になる。これは実験室で単細胞生物の組織を観察すると容易に分かる。彼らは、十分な栄養があり、温度も良好だと、休んでしまう。栄養が乏しく、温度が高すぎる、あるいは低すぎると、彼らは焦って行動を起こす。自然界で血を見るような激しい争いが起きるのは、飢えている時や、子供を守る時、縄張り争いの時である。チャトウィンが『ソングライン』で書いているように、「焦りについて最も納得の行く分析をするのはしばしば、何らかの理由で動けなくなった人々だ」。パスカルは病気で、聖ヨハネは入獄で、ボードレールは薬で、動けなくなった。ヒンドゥー教のサドゥー（行者）のように、プラーナ（呼吸）だけで生きることができれば、私たちは一日中座って瞑想していられるだろう。しかしそれはできない。多少のお金を持っていても、私たちはせわしない。昼食も摂らなくてはならない。

心配もまた、人を衰弱させる可能性があるが、どのくらいの量の心配が、責任ある市民にとって必要なのか、定かではない。私たちの星はだんだん住みにくくなっており、それを心配しないのは愚か者だけである。私たちの政府は、私腹を肥やす官僚たちに乗っ取られてしまった。そのことは私を心配させ、安心できる点など見つけられない。焦りは、唯一の治療法が行動であるような病気であり、私たちに行動が必要ならば、焦りは具体化された叡智の形態と言える。

焦りは無目的性と関係している、頭を切られた鶏。眼鏡を探して家を走り回る忘れっぽい教授。会合の住所を見つけるためにeメールを狂ったように探し回る。これらはみな、集中した行動でも、科学でも、計画の遂行でもない。こうした無目的な焦りは、バンパーのついた車がバンパーを探して走り回るようなものだが、まさに誰かを行動させ、私たちがぶつかる必要があるものにぶつからせる。

せわしない無目的性は、私が世界を知るための方法である。私たち全員にとっても世界を知るための一つの方法だと私は思う。

＊＊＊

ジョン・スタインベックは書いている「焦りのウイルスが気ままな男に取り憑くと、ここから延びる道が広くまっすぐで甘美なものに思え、犠牲者は、そこに行くだけの十分な理由を自分の中に見つけてしまう。そこから「実質的なクズ」に至るのは容易である」。

＊＊＊

チャトウィンは、年長のサーンクリティヤーヤンと同じように、「焦りは無目的性の一形態ではなく人類という種族の本能的衝動」「人類が砂漠など厳しい気候のもとで何千年も生きてきた根源的な必要性の結果」「私たちが家を出る必要性は、季節で生きる場所を変える渡り鳥と同じ」といった考えを探求している。チャトウィンは言う「ヒトはヒトになるとき、まっすぐな足と直立歩行と共に、季節を通して長い距離を歩くという本能、欲動を獲得した。この欲動は中央神経系と切り離せない。もし新規開拓の状況にワープしたら、暴力、強欲、地位争い、狂気が、新参者をはけ口とするだろう」。

サーンクリティヤーヤンは、こうした原始時代の放浪の中に文明の起源を、新規開拓の中にその不満の起源を見る。彼はそれが知性を生む出す源泉だと考えていたのだ。スビア・ラナがサーンクリティヤーヤンの議論について次のように述べている。

ほとんどの宗教指導者、幹部、説教者はノマド的な生活を導いているが、中でも仏陀は誰よりも輝く「ノマド王」である。仏陀は謙虚さ、思想や実践、精神や論理において卓越しており、弟子たちに対して当初からノマディズムと放浪する生活様式を説いていた。仏陀の明快な呼びかけ「僧たちよ、グマッカリ（ノマディズム、放浪）を行え」は、「大インド」という考えが広まっていた時期に、多くの人を宗教的なノマドにし、世界の別の小道を放浪させることになった。サーンクリティヤーヤンによれば、仏陀こそが卓越したノマドである。

＊＊＊

モンゴルで私が出会ったノマドの多くが仏教徒だった。その中には、仏教徒としての教えを実践するシャーマンもいた。

無目的性と方法３　終わり

読者のみなさん、これまでの「無目的」で私たちが達成したものは何だろうか？　私が作ったものはコラージュか、あるいはただの寄せ集めだろうか？

ニーチェは死後に出版された著書『力への意志』の終わり付近で、声を振り絞って、その全体を見せてくれる。

そしてあなたは、私にとって「世界」が何であるかを知っていますか？　私はそれを、私の鏡に映してあなたに見せるべきでしょうか？　この世界：エネルギーの集まり。始めも終わりもなく、もはや大きくなることもない揺るぎないエネルギーのかたまり。小さくなることもなく、消耗することもなく変形するだけで、全体の大きさは変わらず、支出や損失のない経済で、同様に収入や成長もなく、境界は「無」に包まれ、揺らぐことなく、浪費もなく、無限に広がることもなく、一定の力として一定の空間にあり、空間としてどこでも空虚ではなく、むしろ力が遍在し、力と力の波のたわむれとして、同時に一であり多であり、ここで増えてあちらで減る…流れて集まる力の海…永久に変化し続け打ち返す…永久に自分を創造しかつ破壊し続ける私のディオニュソス的世界。二重に官能的な神秘世界、私の善悪を超え、目標も意志もない。…この世界につける名前が欲しいですか？　この謎に解決が欲しいですか？

ニーチェは進んで一つの名前をつけた。「この世界は『力への意志』であり、それ以外の何物でもない！」。しかし私はこれを修辞的な問いだと取りたい。

私は迷い犬と野良猫を好む。

＊＊＊

一九二四年、芸術家パウル・クレーがイエナ美術展で行った講演において、この問題に触れている。

異なった次元に属する部分を集めた全体について、コンセプトに到達するのは容易ではない。自然においてだけでなく芸術においても、その「変形したイメージ」は、こういった全体なのである。

自然であれ芸術であれ、自分がこの全体を認識することは難しいのだが、他人にそれを理解させるのはさらに難しい。

これは空間における三次元のイメージを明確に伝えるために私たちの持っている唯一の方法が、連続的な性質を持つこと、発せられる言葉に時間的性質を欠いていること、に由来する。

このような表現媒体の性質のために、私たちは同時に多数の次元を持つイメージを、その構成要素において、議論する手段を欠いている。


これは私が言うように、私たちの問題についての言明であるが、何らかの解決を与えるだろうか？　解決は存在するだろうか？　あるいは単純に、問題はないと言うべきだろうか？　そうであれば良いが、せいぜい空虚なポーズだろう。「そしてもし、次元の数が増えるほど、その構造における異なった部分を視覚化する困難も増すのであれば、私たちは多大な忍耐力を持たなくてはならない」。

＊＊＊

これはシモーヌ・ヴェイユが『神を待ちのぞむ』の中で勧めている忍耐でもある。「使命を実行することとは、理性や意向に命じられた行動の実行とは違っていて、本質的に、明白に違った秩序を持つ衝動に依っていると思う。こうした衝動が感じられたときに、たとえそれが不可能なことでも、衝動に従わないことは、私には最大の不幸に思える」

私が読者にさらに「ひとかけら」を提示するとき、私はアッセンブラージュを補完しているのだろうか？　コラージュにさらにいくつかスクラップを付け加えているのだろうか？　ここに何かあるのだろうか？　哲学があるのだろうか？　方法があるのだろうか？

＊＊＊

ここ数十年の気持ちの落ち込みが私たちに教えてくれたように、うつ病という「時代の病」もまた、無目的性の一つの形である。落ち込んだ人は世界を見ても、何ら意味あるものを見出せない。欲しいと思うものもなく、前へ、後ろへ、横へ向かう道も見つけられない。むしろ、落ち込んだ人は世界を見ないと言った方がより真実に近いかもしれない。落ち込んだ人の目が地平線に向いても、何を見ても地平線ともそうでないとも認識しない。実質的に何も見ていない。選択が無意味ということではなく、選択肢として現れるものがない。落ち込んだ人が選択肢を勧められても、彼らは言葉を発せられないことが多い。

うつ病においては、悟りにおいてと同じように、涅槃《ニルヴァーナ》の探求は終わっている。全てがありきたりである。焦点もなく、努力もなく、欲求もない。

仏教の「四諦」の最初は「苦諦」である。人生は苦しみだというものだ。そう、もちろんその通りである。うつ病のただなかでは人々は少しもこの思想には至らず、仏教徒の助言のように、彼らは反応は鈍く、自分を憐れむわけでもなく、何も感じていない。「欲望が苦しみの理由である」。そう、これももちろんその通りである。うつ病は涅槃のように、欲望の終わりであり空虚である。欲望を失い、一人で座っていることだ。仏陀が言うように、欲望がなければ幻想もない。一組のトランプと、他のもの全てが、同じ価値になる。

これは仏教の、勝利から最も遠いバージョンである。そして、無目的性の、最も祝福されないバージョンだ。ブラックホールとしての無目的性。

無目的性と注目3　そして

なぜ今行動しないのですか？　氷河は融けかけている。米中露の「1％の人々」〔大きな資産を持たない普通の人々＝九九％の人々に対して、多額の資産を持つ富裕層のこと〕および、世界の独裁政権は、痛みや死を底辺の五〇から七〇％の人々に押し付けている。人工知能（ＡＩ）は生活のために働く人々の能力を破壊し、この事実に適切に対応できている国は地上の一つもない。

こうした実存的な脅威に対して、無目的性はどのような役割が可能であろうか？

ゲーリーのくちゃくちゃに丸めた紙やアドリアのトマト砲のように、無目的性も役に立つことができる。合理的な自己利益だけが答えではない。進歩的弁証法は、人類という種がはまっている泥沼から抜け出すのに十分ではない。道具的理性は求められていることの一部に過ぎない。無目的性は、思想においても建築と同じように、何もできないが。「時期尚早の確実性」よりも、必要な二重性や多重性を許容することができる。リアリストよりもむしろコラージュ主義、分析的よりもむしろ文学的、定住的よりもノマド的、固定的でもなく「空気に溶ける」わけでもないような世界観を許容するのである。これはおそらく良いことだと私は思う。

＊＊＊

おそらく自然、自然的世界は、その無目的性においてモデルとなっている。そして人間の手が加わった「人新世」は、アンチモデルである。私たちはたまに、母態が子態を守るとか、繁殖のために男性は種をバラマいて女性はそれを受け入れるとか、考える時がある。オオトウワタのサヤが弾けると、種は風に吹かれて、何の意図も欲望もなく飛んで行く。ウィルスは増殖する。自然界における均衡と不均衡は、欲望や野望抜きで起こる。私たちは生態系の乱れや、細胞のＤＮＡや、種のサバイバルについて、その動機を子供っぽい擬人化によって理解する。人間の動機がこれらを乱すことはあっても、生態系はそれ自体で、目的も意図もなく進化している。無目的性ほど自然なものはなく、自然ほど無目的なものはない。

＊＊＊

老子はかつてこう語った。

良い旅行者は決まった計画を持たず、到着するという意図もない。

良い芸術家はその直感に導かれてどこへでも行く。

良い科学者は自らを概念から解き放ち、心をありのままに向けて開く

〔原文の書き下し文は以下の通り。「善く行くものは轍迹《てっせき》なし。善く言うものは瑕謫《かたく》なし。善く数うるものは籌索《ちゅうさく》を用いず」〕

このミニコラージュは『道徳経』二七部の冒頭である。旅行、芸術、科学において、老子と私は、旅仲間、芸術仲間、科学仲間である。老子は、とりとめのない思考を、とりとめなく書き留めて、方法を勧めているのではないかと、時に感じることがある。私も同じだ。私は老子のように自分の道が唯一の方法とは主張しない。

しかし、それも「一つの道」だ。

＊＊＊

そしてもちろんこれは「方法破り」かもしれない。もし私がそれを認めなかったら、私も老子も、同じように、完全に、野生的に、そして全方向的に、間違っていることになるだろう。

謝辞

このシリーズに私を招待してくれたコスティカ・ブラダタンとウェンディ・ロヒナーに感謝する。彼らは本書の形をこのままにさせてくれ、私を励まし、良いアドバイスをくれた。二人以外のコロンビア大学出版会のスタッフにも感謝を。そして、本書の草稿を読んで助言を頂いた方々、ローリエ・ワイナーはもちろん、レオ・ブラウディ、ボリス・ドラリュク、セス・グリーンランド、スーザン・カイザー・グリーンランド、ロブ・レイザム、ジョン・ウィーナー、アンドリュー・ワイナー、そしてデイヴィッド・ウィッテンバーグにも感謝を。示唆や注意を頂いたコロンビア大学出版会の社内読者の方々、早い段階で励ましてくれた良いプロデューサーのアンドレイ・コドレスク、私に最高の職を提供してくれたカリフォルニア大学リバーサイド校にも感謝している。さらに、私を再び無目的にしてくれた、ロサンゼルス・レビュー・オブ・ブックスのスタッフ・評議員かつボランティアであるアルバート・リテウカには、終わりのない感謝を捧げる。

引用文献

Adorno, Theodor. 'Free Time.' In *The Culture Industry: Selected Essays on Mass Culture*, edited by J. M. Bernstein, 187-97. New York: Routledge, 2001.

Austen, Jane. *Pride and Prejudice*, New York: Penguin, 2002. ジェーン・オースティン（富田彬訳）『高慢と偏見』岩波書店、一九九四年ほか、邦訳は多数あり。

Bakhtin, M.M. *The Dialogic Imagination: Four Essays*. Edited and translated by Michael Holquist and Caryl Emerson. Austin: University of Texas Press, 1975.

Basho, Matsuo. *The Narrow Road to the Interior. In Basho's Journey: The Literary Prose of Matsuo Basho*. Translated by David Landis Barnhill. Albany State University of New York Press, 2005. 原書は松尾芭蕉「奥の細道」など。

Battuta, Ibn. *A Gift to Those Who Contemplate the Wonders of Cities and the Marvels of Traveling*. Translated by H.A.R. Gibb. London: Routledge and Kegan Paul, 1929. イブン・バットゥータ（家島彦一訳）『大旅行記』平凡社、全6巻、一九九六年―二〇〇二年。抄訳は多数あり。

Benjamin, Walter. *The Work of Art in the Age of Mechanical Reproduction*. Translated by Harry Zohn. Edited by Hannah Arendt, New York: Schocken, 1969. ヴァルター・ベンヤミン「複製技術時代の芸術作品」、邦訳は多数あり。

Bradatan, Costica. 'The Philosopher of Failure: Emil Cioran's Heights of Despair.' *Los Angeles Review of Books*, November 28, 2016.

Broccoli Albert J., prod, *Diamonds Are Forever*, 1971.

Brooks, Rodney, and Anita Flynn. 'Fast Cheap, and Out of Control. A Robot Invasion of the Solar System.' *Journal of the British Interdisciplinary Society* 42 (1975): 478-85.

Buber, Martin. *The Legend of the Baal-Shem*. Translated by Maurice Friedman, Princeton, NJ: Princeton University Press, 1995.

Chatwin, Bruce. *Anatomy of Restlessness*, New York: Penguin, 1997.

———. *In Patagonia*,1977: New York: Penguin Classics, 2003. ブルース・チャトウィン（芹沢　真理子訳）『パタゴニア』河出文庫、二〇一七年。

———. *The Songlines*,1987: New York: Penguin Classics, 2012. ブルース・チャトウィン（北田絵里子訳）『ソングライン』英治出版、二〇〇九年。

———. *What Am I Doing Here?* New York: Viking, 1989. ブルース・チャトウィン（池央耿・神保睦訳）『どうして僕はこんなところに』角川書店、一九九九年。

Cioran, E. M. *A Short History of Decay*. Translated by Richard Howard. New York: Skyhorse, 2012. E.M. シオラン（有田忠郎訳）『崩壊概論』国文社、一九八四年。

Davis, Chris. *The Idle Theory of Evolution*. 1998-2006. http://endgame.co.uk/idletheory/idle/evolution/index.html.

Debord, Guy. 'Theory of the Derivé.' *Les Lèvres Nues 9* (November 1956). Translated by Ken Knabb. Situationist International Online.

Deleuze, Gilles. *Difference and Repetition*. Translated by Paul Patton. New

York: Columbia University Press, 1994. ジル・ドゥルーズ（財津理訳）『差異と反復』河出書房新社、一九九二年。

Deleuze, Gilles, and Félix Guattari, *Anti-Oedipus: Capitalism and Schizophrenia*: Translated by Robert Hurley. New York: Penguin, 2009. ジル・ドゥルーズ&フェリックス・ガタリ（宇野邦一訳）『アンチ・オイディプス』（上下）河出文庫、二〇〇六年。

———. *A Thousand Plateaus*. Translated by Brian Massumi. Minneapolis, University of Minnesota Press, 1987. ジル・ドゥルーズ&フェリックス・ガタリ（宇野邦一ほか訳）『千のプラトー』（上中下）河出文庫、二〇一〇年。

Erickson, Eric. *Identity and Life Cycle*. New York: Norton, 1994. エリク・H・エリクソン（西平直・中島由恵訳）『アイデンティティとライフサイクル』誠信書房、二〇一一年。

Fuller, Jarett. 'Collage and the Creative Process.' 2016. Jarettfuller.com.

Gadamar, Hans-Georg. *Truth and Method*. Translated by Joel Weinsheimer and Donald G. Marshall. New York: Bloomsbury Academic, 2013. ハンス=ゲオルグ・ガダマー（轡田収ほか訳）『真理と方法』（ⅠⅡⅢ）法政大学出版局、二〇一二―二〇二一年。

Hawthorne, Nathaniel 'Wakefield.' In *Twice-Told Tales*. Boston: American Stationers, 1837. ホイットマン（酒本雅之訳）『草の葉』岩波文庫、一九九八年。

Herrera, Juan Felipe. *Notes on the Assemblage*. San Francisco: City Lights, 2015.

Hickok, Gregory, 'It's Not a "Stream" of Consciousness', *New York Times*, May 8, 2015.

Huxley, Aldous. *The Doors of Perception*. New York: Harper and Row, 1994. オルダス・ハクスリー（河村錠一郎訳）『知覚の扉』平凡社、一九九五年。

James, William. 'The Gospel of Relaxation.' In *Talks to Teachers on Psychology*. New York: Henry Holt, 1899.

———. *The Principles of Psychology*. New York: Henry Holt, 1890. ウィリアム・ジェームズ（松浦孝作訳）『心理學の根本問題』三笠書房、一九四〇年。

Janssen, Carolien. Niksen: *The Dutch Art of Doing Nothing*. Scotts Valley, CA: CreateSpace, 2018.

Jauss, Hans Robert, 'Literary History as a Challenge to Literary Theory.' *New Literary History* 2. no.1 (1970):7-37.

———. *Toward an Aesthetic of Reception*. Translated by Timothy Bahti. Minneapolis: University of Minnesota Press, 1982.

Jonat, Rachel. *Do Less: A Minimalist Guide to a Simplified, Organized, and Happy Life*. New York: Simon and Schuster, 2014.

———. *The Joy of Doing Nothing: A Real Life Guide to Stepping Back, Slowing Down and Creating a Simpler, Joy-Filled Life*. New York: Adams Media, 2017.

Khaldun, Ibn. *The Muqaddimah*. Translated by Franz Rosenfeld: Princeton, NJ: Princeton University Press, 2015. イブン・ハルドゥーン（森本公誠訳）『歴史序説』全４巻、岩波文庫。

Klee, Paul. *On Modern Art*. Edited by Herbert Read. London: Faber and Faber, 1966.

Lao Tzu(老子). *Tao Te Ching*. Translation by James Legge (1891), Gia-Fu Feng and Jane English (1972), Stephen Mitchell (1977), and J.H. McDonald (1996).

Levine Sara. 'The Essayist Is Sorry for Your Loss.' In *The Touchstone Anthology of Contemporary Creative Nonfiction*. Edited by Lex Williford and Michael Martone. New York: Touchstone, 2007.

Lutz, Tom. *And The Monkey Learned Nothing: Dispatches from a Life of Travel*. Iowa City: University of Iowa Press, 2016.

———.*Cosmopolitan Vistas: American Regionalism and Literary Value*. Ithaca, NY: Cornell University Press, 2004.

———.*Doing Nothing: A History of Loafers, Loungers, Slackers, and Bums in America*. New York: Farrar, Straus and Giroux, 2006. トム・ルッツ（小沢英実・篠儀直子訳）『働かない』青土社、二〇〇六年。

———.*Drinking Mare's Milk on the Roof of the World*. New York: OJR Books, 2016.

Lyotard, Jean-Francois. *Driftworks*. Translated by Roger McKeon. Los Angeles: Semiotext(e).1984.

Marder, Michael. 'Anti-Nomad.' *Deleuze Studies* 10, no.4 (2016):496-503.

Miller Christopher L. *Nationalists and Nomads: Essays on Francophone Literature and Culture*, Chicago: University of Chicago Press, 1998.

———.'The Postidentitarian Predicament in the Footnotes of A Thousand Plateaus: Nomadology, Anthropology, and Authority.' *Diacritics* 23 no.3 (1993):6-35.

Milne, Bob. 'A Head Full of Symphonies.' *Radiolab, June* 26,2013. www.wnycstudios.org/podcasts/radiolab/segments/301427-head-full-symphonies.

Montaigne, Michel de. Essays. New York: Penguin, 1993. モンテーニュ（原二郎訳）『エセー』全六巻、岩波文庫、二〇一五年。

Morris, Errol. Dir. *Fast, Cheap and Out of Control*, 1997.

———.*Mr. Death*. 1999.

———.*The Thin Blue Line*. 1988.

———.*Wormwood*. 2017.

Muradov, Roman. *On Doing Nothing: Finding Inspiration in Idleness*. San Francisco: Chronicle, 2018.

Nietzsche, Friedrich. *Human, All Too Human*. Translated by Marion Faber. Lincoln: University of Nebraska Press, 1996. フリードリッヒ・ニーチェ（池尾健一訳）『人間的、あまりに人間的』ちくま学芸文庫版ニーチェ全集《6》および《7》巻、一九九四年。

———.*Unpublished Fragments, Spring 1885-Spring 1886*. Translated by Adrian Del Caro. Stanford: Stanford University Press, 2019.

Northrup, Kate. Do Less: A Revolutionary Approach to Time and Energy Management for Busy Moms. New York: Hay House, 2019.

Odell, Jenny. *How to Do Nothing: Resisting the Attention Economy*. New York: Melville House, 2019.

Olkowski, Dorothea. 'Serious Fun? Deleuze's Treatise on Nomadology.' *Phaen Ex* 10. no.1(2017):71-84.

Olson, Frank. 'The Collage Method.' frankolsonproject.org.

Pallasmaa, Juhani. *Encounters: Architectural Essays*. Edited by Peter MacKeith. Helsinki: Rakennustieto, 2013.

Pollock, Sydney. dir. Sketches of Frank Gehry, 2006.

Preller, Katrin H., Adeel Razi, Peter Zeidman, Philipp Stampfi, Karl J. Friston, and Franz X. Vollenweider. 'Effective Connectivity Changes in LSD-Induced Altered States of Consciousness in Humans' *PNAS* 116, no.7 (February 12, 2019): 2743-48.

Rablais, François, *Five Books of the Lives, Heroic Deeds and Sayings of*

Garugantua and His son Pantagruel, 1532. Translated by Sir Thomas Urquhart of Cromarty and Peter Antony Motteux, Prepared for Project Gutenberg by Sue Assscher and David Widger. フランソワ・ラブレー（渡辺一夫訳）『ガルガンチュワ物語　パンタグリュエル物語　全5冊』岩波文庫、一九七四年。

Rana, Subir. 'The Micropolitics and Metaphysics of Mobility and Nomadism: A Comparative Study of Rahul Sankrityayan's Ghumakkar Sāstra and Gilles Deleuze /Felix Guattari's "Nomadology."' in *Social Theory and Asian Dialogues*, edited by A.K.Giri, Singapore: Springer, 2018.

Rinpoche, Tulku Urgyen. *As It Is*. Vol.1. Boulder: Rangjung Yeshe, 1999.

Rushdie, Salman. *Quichotte*. New York: Random House, 2019.

Sembene Ousmane, dir. *Xala*. 1975.

Shakespeare, William. Twelfth Night, 1602.（ウィリアム・シェイクスピア『十二夜』、邦訳多数あり）

Shulman, Max. *I Was a Teenage Dwarf*. New York: Bernard Geis, 1959.

Skinner, Cornelia Otis. *Elegant Wits and Grand Horizontals*. Boston: Houghton Mifflin, 1962.

Sontag, Susan. 'Happenings: An Art of Radical Juxtaposition.' In Against Interpretation, 1962: New York: Octagon, 1978. スーザン・ソンタグ（高橋康也ほか訳）『反解釈』ちくま学芸文庫、一九九六年。

Stein Gertrude. 'The Gradual Making of the Making of Americans.' In *Selected Writings of Gertrude Stein*, edited by Carl Van Vechten. New York: Random House, 1946.

———. *The Making of Americans*. Paris: Contact, 1925.

———. *Tender Buttons*. New York: Claire Marie, 1914. ガートルード・スタイン（金関寿夫訳）『やさしい釦』書肆山田、一九八四年。

Steinbeck, John. *Travels with Charley*. New York: Viking, 1962. ジョン・スタインベック（大前正臣訳）『チャーリーとの旅』弘文堂、一九六四年。

Sterne, Laurence. *The life and Opinions of Tristram Shandy, Gentleman*. New York: Modern Library, 2004. ロレンス・スターン（朱牟田夏雄訳）『トリストラム・シャンディ』（上中下）岩波文庫、一九六九年。

Syne, Emily. 'Guilt Trip.' New Republic, December 13. 2017. https://newrepublic.com/article/145919/guilt-trip.

Tokarczuk, Olga. *Flights*. Translated by Jennifer Croft. New York: Riverhead, 2018.

Turner, Victor. *The Ritual Process: Structure and Anti-Structure*. Chicago: Aldine,1969.

Vonnegut, Kurt. 'Tom Edison's Shaggy Dog' In *Welcome to the Monkey House*. Hew York: Delacorte, 1968.

Weil, Simone. *Waiting for God*. London: Routledge and Kegan Paul, 1951. シモーヌ・ヴェイユ（田辺保・杉山毅訳）『神を待ちのぞむ』勁草書房、一九六七年。

Wharton, Edith. *House of Mirth*, New York: Charles Scribner's Sons, 1905. イーディス・ウオートン（佐々木みよ子・山口ヨシ子訳）『歓楽の家』荒地出版、一九九五年。

Wilkin, Peter, 'Chomsky and Foucault on Human Nature and Politics: An Essential Difference?' *Social Theory and Practice* 25 (1999): 177-210.

Zuckerman, Ethan. 'Desperately Seeking Serendipity.'…*my hearts in Accra*, ethanzuckerman.com.

Zwicky, Jan. *Lyric Philosophy*. Toronto: University of Toronto Press, 1992.

訳者あとがき

本書はTom Lutz *Aimlessness*, Columbia University Press, 2021. の翻訳である。昨年訳出したマーク・クーケルバーク著『自己啓発の罠』と同様、コロンビア大学出版会の「No Limits」というシリーズものの一冊である。

著者のトム・ルッツは、スタンフォード大学で学位取得後、カリフォルニア大学リヴァーサイド校で創造的文章作成を教える「卓越教授」(distinguished professor)となり、多数の著書がある。うち邦訳があるのは『働かない』(青土社、二〇〇六年)と、『人はなぜ泣き、なぜ泣きやむのか?—涙の百科全書』(八坂書房、二〇〇三年)の二冊。

本書は実用書でなく、まさに何か目的があって書かれたものではない。始めから終わりまで、一直線に読む必要もないだろう。目次を見ても分かる通り、本書は無目的をテーマに、非常にユニークな構成を取っている。しかしどこから読み始めるにせよ、著書の深い学識に導かれて、読者は目的のない「旅」に出ることになる。著者は大変な仕事中毒のようで、ひたすら読んだり、書いたり、旅したりしている。

特に文学について著者の造詣は深く、多数の作家や詩人について、私も教えてもらった。観光スポットではない世界の僻地への旅。それまでの人生でのスリリングな経験。意表を突く食べ物、等。特に著者がこだわっている概念が「ノマド」。遊牧民のことだが、ドゥルーズなどがその思想に取り入れて広まった。しかしイメージが先行しているノマドの実像を暴くという点では、本書は白眉ではなかろうか。

日本人にお馴染みの「登場人物」としては、松尾芭蕉と老子がクローズアップされている。ただ驚くのは、著者の使っている芭蕉『奥の細道』『幻住庵記』や『老子』の英訳本が、よく言えば自由に、悪く言えば奔放に訳されていることである。古文だから仕方がない面もあるのかもしれないが、チェックしてみてひとかたならず驚いたのも確かである。深掘りすれば比較文化等の研究テーマになるかもしれない。

多数ある引用部のうち、邦訳のあるものも基本的には私の手で訳し直したが、ホイットマン『草の葉』、ラブレー『ガルガンチュアとパンタグリュエルの物語』、スターン『トリストラム・シャンディ』の三種については、半ば古典化している既存の岩波文庫訳を到底超えることができないと判断し、そのまま引用させて頂いた。訳者のみなさまに厚くお礼申し上げる。

編集作業は青土社の篠原一平さんに大変お世話になった。ありがとうございます。

二〇二三年七月

田畑暁生

【著者】
トム・ルッツ（Tom Lutz）
カリフォルニア大学リバーサイド校の特別教授兼クリエイティブ・ライティング学科長、Los Angeles Review of Books の創刊編集長。著書に『働かない』（青土社）、『人はなぜ泣き、なぜ泣きやむのか？』（八坂書房）などがある

【訳者】
田畑暁生（たばた・あけお）
神戸大学人間発達環境学研究科教授。専攻は社会情報学。著書に『情報社会論の展開』『「平成の大合併」と地域情報化政策』（以上、北樹出版）、『メディア・シンドロームと夢野久作の世界』（NTT 出版）、『風嫌い』（鳥影社）など。訳書にライアン『膨張する監視社会』『監視文化の誕生』、クーケルバーク『自己啓発の罠』（以上、青土社）、バックランド『新・情報学入門』（日本評論社）など多数。

無目的
行き当たりばったりの思想

著者　トム・ルッツ
訳者　田畑暁生

2023 年 8 月 10 日　第一刷発行
2023 年 10 月 10 日　第二刷発行

発行者　清水一人
発行所　青土社

〒 101-0051　東京都千代田区神田神保町 1-29　市瀬ビル
［電話］03-3291-9831（編集）　03-3294-7829（営業）
［振替］00190-7-192955

印刷・製本　シナノ印刷
装丁　大倉真一郎

ISBN978-4-7917-7574-3　Printed in Japan